新訂
第2版 写真でわかる

高齢者ケア
アドバンス

高齢者の心と体を理解し、フレイルを予防し生活の営みを支える

Advance

監修 古田 愛子
元 東京都健康長寿医療センター 看護部長

医学監修 井藤 英喜
東京都健康長寿医療センター 名誉理事長

インターメディカ

まえがき

　高齢化が加速し、人生100年時代といわれるようになりました。平均寿命の延伸は喜ばしいことである一方、健康寿命との格差は依然として男女とも10年前後あり、何らかの支援がないと生活ができない状態が10年前後続くという事態に、残念ながらまだ改善はみられていません。

　国は、高齢者の人口に占める割合である高齢化率の増加に対して、高齢者が元気に老年期を過ごせるように、食生活や運動の推進など様々な施策を提示してきました。高齢者が生き生きと過ごせるだけでなく、元気であることで社会・経済活動の担い手としても期待されています。

　このように高齢者の力が期待されている社会で、いかに病院や施設に入院、入所したあとも心身の活力を維持しながら高齢者の持てる力を引き出し、さらに発揮できるように働きかけるかは、高齢者ケアに携わる一人ひとりに課せられた課題といえます。

　高齢者は加齢に伴い、体力だけでなく気力をなくして、虚弱状態になりがちです。この状態をフレイルと呼びますが、フレイルは要介護と健常の間の状態であり、要介護の大きなリスクとなります。したがって、高齢者のフレイルを予防することが、寝たきりや孤立を予防し、活力を維持するうえで重要です。

　団塊の世代が後期高齢者となる「2025年問題」、さらに少子高齢化が進み、団塊世代のジュニアが高齢者となり、生産人口が一段と減少する「2040年問題」に突入しようとしている我が国にとって、高齢者の健康の維持増進は喫緊の課題です。

　東京都健康長寿医療センターでは、急性期高齢者病院として長年培ってきた高齢者看護のノウハウを『写真でわかる高齢者ケア』として2010年に発行しました。その後、このテキストをもとにDVD『高齢者ケアシリーズ』を制作しました。そして、

2017年に『写真でわかる高齢者ケア』のテキストにおける重要ポイントに対して、DVDを活用して視聴覚的にわかりやすいように工夫しました。さらに2020年には、DVDの動画がWeb配信になり、今まで以上に学習しやすいようになりました。

　『写真でわかる高齢者ケア』は、このように随時、高齢者ケアに携わる皆様に分かりやすいように工夫してきました。お陰様でテキスト、DVDともに多くの方に利用していただくことができました。

　しかし、私は東京都健康長寿医療センターを退職後、地域の高齢者と関わる中で、いかにフレイル予防が重要かを実感してきました。そこで今回、高齢者が健康で生き生きと過ごすために「フレイル予防」を念頭に置いて、テキストを見直し、改訂版を出版することといたしました。

　また、改訂版では、コロナ禍でのケアを体験してきたなかで、感染対策の面で、最新の方法となっているかという視点をもって見直しました。さらに、人生の最終段階の時期にいる高齢者が、最期までその人らしい人生を過ごせるように支援する重要性を鑑みて、「エンド・オブ・ライフケア」について加筆しました。

　フレイル予防に関して、東京都健康長寿医療センターの井藤英喜名誉理事長の指導を、高齢者ケア全般にわたっては同センターの太田看護部長も指導に加わっていただき、最新の高齢者ケアの実際を提供したいとの思いで関係者一同改訂に取り組んできました。

　高齢化の進行と看護職の役割拡大のもと、多くの方々がさまざまな場で活躍されています。医療機関や地域で、高齢者看護・介護にかかわる方々、高齢者看護を学ぶ学生の皆さんなど幅広い方々に、本書をご活用いただき、高齢者看護の実践に役立てていただくことを願っています。

2024年1月
古田　愛子
元 東京都健康長寿医療センター
看護部長

まえがき

　我が国では、人口の高齢化、とくに要介護が懸念される後期高齢者の増加が年々顕著になってきています。

　我が国の主要な医療課題である、がん、血管障害、感染症、認知症、骨関節疾患などは、いずれも加齢とともに頻度が高くなる疾患です。したがって、医療機関を受診する患者に占める高齢者、とくに後期高齢者の割合は年々高くなってきています。

　高齢者、とくに後期高齢者の医療においては、お一人おひとりが安心・安全な医療を受け、入院を契機として今まで元気であった人が要介護になる、要介護状態がさらに悪化するといった事態を避ける必要があります。また、急性期を乗り切った患者さんでは、より充実した病後の生活、あるいは病気との共存生活が送れるように心を配る必要があります。

　本書は、そのような高齢者ケアの在り方の理論と実際を知るうえで最適の書であります。

　本書発行までの経過を簡単に述べますと、まず2010年に、高齢者専門の急性期病院として長年の経験、研究を積み重ねてきた東京都健康長寿医療センター看護部の

総力をあげて高齢者ケアの理論と実際がわかる『写真でわかる高齢者ケア』を、その後高齢者ケアの実際を視聴覚的に分かりやすく学べるDVD『高齢者ケアシリーズ』を発行しました。さらに、2017年には、両者の主要部分を組み合わせたDVD付き書籍に発展させ、2020年には高齢者ケアの実際をWEB動画でも視聴できる『新訂版 写真でわかる高齢者ケア アドバンス』を上梓しました。

　本書は、『新訂版 写真でわかる高齢者ケア アドバンス』を、最新の医学・医療、看護、介護の進歩を取り入れ大幅に改訂したものです。本書を一読することにより、高齢者ケアの理論と実際を、また地域包括ケア体制下の高齢者ケアに必要な急性期病院、地域の医療機関、介護施設、薬局、行政などとの連携の実際がよくわかります。さらに、近年重要視されるようになった、要介護のハイリスクであるフレイルへの対策やエンド・オブ・ライフケアといった課題についても章を追加し、より充実した内容となりました。

　本書が、高齢者の医療・ケアにあたる看護師、医師をはじめとする医療職の方々、また介護施設の方々など高齢者ケアに当たられる方々の座右の書として活用され、高齢者のお一人おひとりが、質の高い、安全・安心なケアを受けられるようになることを願っています。

2024年1月
井藤　英喜
東京都健康長寿医療センター
名誉理事長

EDITORS/AUTHORS

【監 修】

古田　　愛子 元 東京都健康長寿医療センター　看護部長

【医学監修】

井藤　　英喜 東京都健康長寿医療センター　名誉理事長

【指 導】

太田　　日出 東京都健康長寿医療センター　看護部長
畑田　みゆき 元 東京都健康長寿医療センター　看護副部長

【執 筆】

佐々木　知輝 東京都健康長寿医療センター　次席：老人看護専門看護師
古田　　愛子 元 東京都健康長寿医療センター　看護部長
中島　　聖子 元 東京都健康長寿医療センター　看護師
新名　由利子 東京都健康長寿医療センター　主任：摂食嚥下障害看護特定認定看護師
白取　　絹恵 元 東京都健康長寿医療センター　看護師長：認知症看護認定看護師
薦田　美栄子 元 東京都健康長寿医療センター　主任
御子柴利江子 元 東京都健康長寿医療センター　看護師
野島　　陽子 東京都健康長寿医療センター　看護師長：皮膚・排泄ケア特定認定看護師
加納　江利子 東京都健康長寿医療センター　看護副部長：感染管理認定看護師
亀井　めぐみ 東京都健康長寿医療センター　看護師長：皮膚・排泄ケア認定看護師
藤井　　彰子 元 東京都健康長寿医療センター　主任：日本糖尿病療養指導士
原口　　政敏 東京都健康長寿医療センター　次席：医療安全対策室 専従セーフティマネジャー
宮本　やい子 元 東京都健康長寿医療センター　看護師長
松崎　　弘美 東京都健康長寿医療センター　看護師長

【撮影協力】

福澤　賀代子 元 東京都健康長寿医療センター　看護副部長
鎌塚　　尚生 元 東京都健康長寿医療センター　主任

【撮影施設】

東京都健康長寿医療センター

本書のWeb動画の特徴と視聴方法

Web配信動画でより使いやすく、学びやすく！

Web動画の特徴

テキストのQRコードをスマートフォンやタブレット端末で読み込めば、リアルで鮮明な動画がいつでも、どこでも視聴できます。

テキストの解説・写真・Web動画が連動することで、「読んで」「見て」「聴いて」、徹底理解！

Web動画で、看護技術の流れやポイントが実践的に理解でき、臨床現場のイメージ化が図れます。

臨床の合間、通勤・通学時間、臨地実習の前後などでも活用いただけます。

本書の QR コードがついている
箇所の動画をご覧いただけます。

本文中の QR コードを読み取り
Web 動画を再生。
テキストと連動し、より実践的
な学習をサポートします！

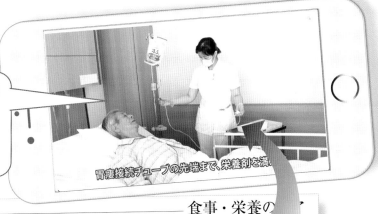

胃瘻接続チューブの先端まで、栄養剤を満た

食事・栄養の

CESS **3** 経腸栄養剤の注入　1-9

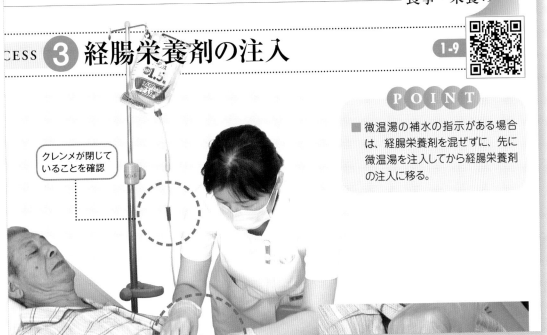

クレンメが閉じて
いることを確認

P O I N T

■ 微温湯の補水の指示がある場合は、経腸栄養剤を混ぜずに、先に微温湯を注入してから経腸栄養剤の注入に移る。

Web動画の視聴方法

本書中のQRコードから、Web動画を読み込むことができます。
以下の手順でご視聴ください。

① スマートフォンやタブレット端末で、QRコード読み取り機能があるアプリを起動します。
② 本書中のQRコードを読み取ります。
③ 動画再生画面が表示され、自動的に動画が再生されます。

URLからパソコン等で視聴する場合

QRコードのついた動画は、すべてインターメディカの特設ページからもご視聴いただけます。以下の手順でご視聴ください。

① 以下URLから特設ページにアクセスし、下記のパスワードを入力してログインします。

http://www.intermedica.co.jp/video/1195
パスワード：9im7bk

※第三者へのパスワードの提供・開示は固く禁じます。

② 動画一覧ページに移動後、サムネールの中から見たい動画をクリックして再生します。

閲覧環境

● iOS搭載のiPhone／iPadなど
● Android OS搭載のスマートフォン／タブレット端末
● パソコン（WindowsまたはMacintoshのいずれか）

・スマートフォン、タブレット端末のご利用に際しては、Wi-Fi環境などの高速で安定した通信環境をお勧めします。
・インターネット通信料はお客様のご負担となります。
　動画のご利用状況により、パケット通信料が高額になる場合があります。パケット通信料につきましては、弊社では責任を負いかねますので、予めご了承ください。
・動画配信システムのメンテナンス等により、まれに正常にご視聴いただけない場合があります。その場合は、時間を変えてお試しください。また、インターネット通信が安定しない環境でも、動画が停止したり、乱れたりする場合がありますので、その場合は場所を変えてお試しください。
・動画視聴期限は、最終版の発行日から5年間を予定しています。なお、予期しない事情等により、視聴期間内でも配信を停止する場合がありますが、ご了承ください。

QRコードは、(株)デンソーウェーブの登録商標です。

CHAPTER 1
高齢者ケアにおける
フレイル対策の重要性

高齢者が要介護にならないための支援
——フレイルとその対策

高齢者が要介護に ならないための支援 —フレイルとその対策

長寿社会におけるフレイル対策の重要性

現在の高齢者は、医療の発展や食生活、運動習慣の変化によって以前よりもずっと長寿になった。世界でも長寿化が進み、人生100年時代が到来しようとしている。この100年という期間を、介護を必要とせず、元気でいきいきと、そして心地よく暮らすために、心身の活力を低下させるフレイルを予防していくことが重要である。また、フレイルの状態になったとしても早期に気づき対策することで、健常な状態に戻り健康な暮らしを継続していくことができる。フレイルを予防・改善することは、健康寿命を延伸することになり、その人の人生のQOLを高めることにつながる。

フレイル対策における看護師の役割

医療機関では、患者が入院した際には項目や評価方法などが異なっていてもチェック表やスクリーニングシートを用いて、患者個々の総合的な機能評価を行っている。看護師は、入院と同時にその人の生活機能の自立度を把握する立場にあり、フレイルの有無をキャッチできる。

また、入院によってフレイルに陥りやすい高齢者の変化を日々のケアを通して把握できる立場であり、その状態を多職種と共有し、チームで支援する役割がある。

さらに、退院時には高齢者の個々の自立度に応じて、自宅での生活が円滑に行えるように、また、より自立度を高めるための支援に向けた対応策の計画・実施など、様々なケアの場面を通して高齢者のフレイル対策に関わっている。医療機関を退院して地域や介護施設で過ごす高齢者にとっても、生活機能をどれだけ自立できているかは、その後の生活を維持し、行動範囲を決定づける大きな要素となる。

高齢者ケアの全般に渡り、フレイル予防と改善を意識したケアに取り組んでいくことはもちろん、高齢者自身が退院後もフレイル対策に、自ら取り組んでいけるように働きかけていくことも疾病の看護とともに、高齢者ケアに携わる者として大切な役割と考える。

そこで、高齢者ケアに携わる看護師がフレイルに関する理解をより深めることによって、フレイルの予防・改善に向けた支援をさらに拡大させていくことの重要性に鑑みて、「高齢者が要介護にならないための支援—フレイルとその対策」を高齢者ケアの冒頭に述べることとした。

STUDY　平均寿命と健康寿命の差

2019年における平均寿命と健康寿命 (文献1) は、男女それぞれ下記のとおりである。

男性　平均寿命81.41歳　　健康寿命72.68歳
女性　平均寿命87.45歳　　健康寿命75.38歳

平均寿命と健康寿命の差を減らし、健康でいられる期間をいかに長く維持できるかが高齢者のQOLを高く維持するための鍵である。

※健康寿命：WHOが提唱した新しい指標で、平均寿命から寝たきりや認知症など介護状態の期間を差し引いた期間。

■平均寿命と健康寿命の差

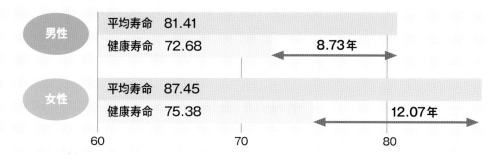

男性	平均寿命 81.41	
	健康寿命 72.68	8.73年
女性	平均寿命 87.45	
	健康寿命 75.38	12.07年

60　　　　　　70　　　　　　80

フレイルの概念

フレイルとは、「加齢に伴う予備力の低下のため、ストレスに対する回復力が低下した状態」を表す"frailty"を、日本老年医学会が日本語訳した用語である。

フレイルは、要介護状態に至る前段階として位置づけられるが、疾患やADLの低下といった身体的脆弱性のみならず、うつや認知機能障害といった精神心理的脆弱性、閉じこもりや社会的な交流の減少といった社会的脆弱性などの多面的な課題を含む概念である（文献2）。

■フレイルの概念

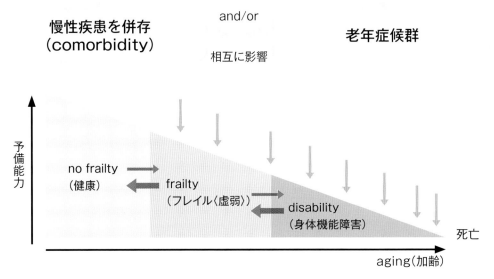

高血圧	心疾患	脳血管疾患
糖尿病	慢性腎疾患（CKD）	
呼吸器疾患	悪性腫瘍	骨粗鬆症
変形性関節症等、生活習慣や加齢に伴う疾患		

認知機能障害	めまい	うつ
摂食・嚥下障害	視力障害	せん妄
貧血	難聴	
易感染性	体重減少	
サルコペニア（筋力低下）		

慢性疾患を併存 | and/or | **老年症候群**
（comorbidity） | 相互に影響 |

葛谷雅文：老年医学におけるSarcopenia&Frailtyの重要性. 日本老年医学会雑誌 46(4)：279-285, 2009. より改変

フレイルは、慢性疾患や老年症候群が単独あるいは相互に影響して進行し、またフレイルの状態がこれらを悪化させることから、様々な健康課題を抱えやすく、自立障害や死亡、疾患の悪化といった健康障害を招きやすいハイリスクの状態となる。

フレイルには可逆性があり、適切なケアとキュアに

よって健康な状態に戻ることができる。そのため、フレイルの予防・改善には、ADLの維持・向上のみならず、栄養管理や慢性疾患、老年症候群（高齢者に高頻度で出現する様々な症状）に対する包括的な管理が重要である。

■フレイルの多面性

身体的側面

- 体重減少
- 筋力低下
- 疲労感
- 歩行速度低下
- 身体活動の低下
- 平衡機能（バランス）の低下
- 視力・聴力の低下

認知・心理・精神的側面

- 記憶力の低下
- 気分の落ち込み
- 不安
- 対応力の低下

社会的側面

- 一人暮らし
- 支援者の不在
- 友人や近隣者との交流機会の減少
- 社会参加や外出頻度の減少
- 経済的困窮

公益社団法人長寿科学振興財団ホームページ：牧迫飛雄馬：総論 フレイルの全体像を学ぶ 1. フレイルとは：多面性とフレイルサイクル
https://www.tyojyu.or.jp/kankoubutsu/gyoseki/frailty-yobo-taisaku/R2-2-1.htmlを参考に作成

フレイルは、図で示すように、筋力低下や歩行速度低下を代表とする「身体的側面」、記憶力の低下や気分の落ち込みといった「認知・心理・精神的側面」、閉じこもりなどの「社会的側面」が単独に、あるいは重なり合って存在し、それぞれが影響しあう。
例えば、記憶力の低下によって趣味活動が十分に行えなくなり、外出頻度が減って筋力が低下し、その結果フレイルが進行してしまうといった例が挙げられる。
そのため、各側面からのフレイルのリスクを把握しながらも、包括的にフレイルの状態や原因を捉え、予防・改善を図るための手段を講じることが重要である。

フレイルの早期発見・評価のためのツール

フレイルを早期に見つけ出し、介護予防や後述する通いの場などの適切なケアに繋げることが、健康な状態を維持するために重要である。その最初の一歩である、フレイルを"見つける"ために、スクリーニングは大きな助けとなる。これまでの研究からフレイルの指標についてさまざまな尺度や評価方法が提唱されている。フレイル評価においては、身体的側面のみならず、精神的な側面や社会的な側面に対する多角的な評価が求められる。

ここでは、代表的な診断指標の1つである「改定J-CHS基準」と、日本で導入され、簡便かつ包括的にフレイル評価を行うことができる「基本チェックリスト」を中心に紹介する。そのほか、簡易フレイルインデックス、かんたんフレイルチェックシート、Clinical Frailty Scale（CFS）は簡易な評価指標であり、フレイルの早期発見に役立つ。p.221の巻末資料を参照されたい。

■改定日本版CHS基準（改定J-CHS基準）

項目	評価基準
体重減少	6か月で、2kg以上の（意図しない）体重減少 体重減少あり→1点、なし→0点
筋力低下	握力：男性＜28kg、女性＜18kg 握力低下あり→1点、なし→0点
疲労感	（ここ2週間）わけもなく疲れたような感じがする 疲労感あり→1点、なし→0点
歩行速度	通常歩行速度＜1.0m/秒 歩行速度低下あり→1点、なし→0点
身体活動	①軽い運動・体操をしていますか？ ②定期的な運動・スポーツをしていますか？ 上記の2つのいずれも「週に1回もしていない」と回答→1点、それ以外→0点

判定方法

0点：ロバスト（健常）
1～2点：プレフレイル（フレイル予備軍）
3点以上：フレイル

Satake S, et al. Geriatr Gerontol Int. 2020; 20(10): 992-993.
日本語版：国立長寿医療研究センター. 佐竹昭介：健康長寿教室テキスト第2版. p.2, 2020. より筆者作成

世界的に汎用されているFriedらの5つの表現型に基づくフレイルの診断指標の日本版であり、フレイルの診断に活用されている。
体重減少、筋力低下、疲労感、歩行速度、身体活動の5項目のうち、3点以上をフレイル、1～2点をプレフレイル、0点をロバスト（健常）と診断する。身体的フレイルの評価に適した半面、精神・社会的なフレイルの評価が含まれていないことには注意が必要である。

■基本チェックリスト

No.	質問項目	回答 (いずれかに○をお付け下さい)	
1	バスや電車で1人で外出していますか	0.はい　1.いいえ	
2	日用品の買い物をしていますか	0.はい　1.いいえ	
3	預貯金の出し入れをしていますか	0.はい　1.いいえ	
4	友人の家を訪ねていますか	0.はい　1.いいえ	
5	家族や友人の相談にのっていますか	0.はい　1.いいえ	
6	階段を手すりや壁をつたわらずに昇っていますか	0.はい　1.いいえ	運動
7	椅子に座った状態から何もつかまらずにたちあがっていますか	0.はい　1.いいえ	
8	15分くらい続けて歩いていますか	0.はい　1.いいえ	
9	この1年間に転んだことがありますか	1.はい　0.いいえ	
10	転倒に対する不安は大きいですか	1.はい　0.いいえ	
11	6ヵ月間で2〜3kg以上の体重減少がありましたか	1.はい　0.いいえ	栄養
12	身長　　　cm 体重　　　kg(BMI＝　　　)(注)		
13	半年前に比べて固いものが食べにくくなりましたか	1.はい　0.いいえ	口腔
14	お茶や汁物等でむせることがありますか	1.はい　0.いいえ	
15	口の渇きが気になりますか	1.はい　0.いいえ	
16	週に1回以上は外出していますか	0.はい　1.いいえ	閉じ こもり
17	昨年と比べて外出の回数が減っていますか	1.はい　0.いいえ	
18	周りの人から「いつも同じことを聞く」などの物忘れがあるといわれますか	1.はい　0.いいえ	認知
19	自分で電話番号を調べて、電話をかけることをしていますか	0.はい　1.いいえ	
20	今日が何月何日かわからない時がありますか	1.はい　0.いいえ	
21	(ここ2週間)毎日の生活に充実感がない	1.はい　0.いいえ	うつ
22	(ここ2週間)これまで楽しんでやれていたことが楽しめなくなった	1.はい　0.いいえ	
23	(ここ2週間)以前は楽にできていたことが今ではおっくうに感じられる	1.はい　0.いいえ	
24	(ここ2週間)自分が役に立つ人間だと思えない	1.はい　0.いいえ	
25	(ここ2週間)わけもなく疲れたような感じがする	1.はい　0.いいえ	

(注)BMI(＝体重〈kg〉÷身長〈m〉÷身長〈m〉)が18.5未満の場合に該当とする。

厚生労働省老健局長通知:地域支援事業実施要綱. 平成22年8月6日. より引用

厚生労働省が作成した基本チェックリストは、25の質問と7つのドメイン(ADL、運動機能、栄養状態、口腔機能、閉じこもり、認知機能、うつ)から構成されており、包括的にフレイルの評価が可能であることから介護予防支援事業を中心に行政や地域で広く活用されている。8点以上をフレイル、4〜7点をプレフレイル、0〜3点を健常と評価する。

フレイル対策の実際

フレイルの中心的な病態には慢性的な低栄養とサルコペニア（筋肉量の減少）があり、これらが悪循環を形成してフレイルを加速させる。この関係を示したものがフレイルサイクルであり、いかにこの悪循環を断ち切るケアを行うかがフレイル対策には重要である。

■フレイルサイクル

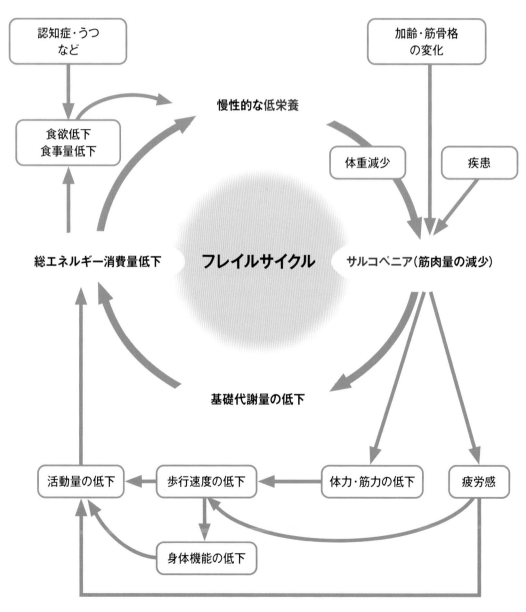

Fried LP, Tangen CM, Walston J et al.: Fraility in older adults evidence for a phenotype. J Gerontology. 56(3): M146-157, 2001. をもとに筆者作成

■フレイル対策の3つの柱

フレイルの対策には、筋肉量を維持・向上するための適度な"運動"と、低栄養を防ぎ、筋肉を作るためのバランスの良い食事・口腔機能の維持といった"栄養"、そして、健康に生き生きと暮らすための"社会参加"を継続することの3つの柱（文献23を参照）を三位一体として包括的に支援する視点が重要である。

栄　養
バランスの良い食事の摂取
口腔機能の維持

低栄養、あるいは低栄養のリスクに早期に気づき、高齢者個々の食文化を大事にしながらもたんぱく質をはじめとする良好な栄養素を摂取し、バランスのとれた食事ができるように支援が必要である。加えて、おいしい食事を継続するための口腔機能の維持も欠かせない。

運　動
個々の身体に合った活動の継続
運動機能の維持

個々の身体機能に応じてウォーキングや筋力トレーニングを少しでも実施できるよう支援することで、筋力の低下を防ぎ、死亡するリスクや、転倒・骨折で寝たきり状態になるリスクを減らすことにつながる。

社会参加
趣味・ボランティア・就労・通いの場への参加
友人・知人との交流による社会参加、社会貢献

社会参加の機会が減少するとフレイルのリスクが増加することが明らかになっている。様々な通いの場があるため、本人の好きな活動、継続したいと思える場を提供・紹介するなど、自尊感情を高く持ち、明るく前向きに、楽しみながら生き生きと生活できるよう支援することが重要である。

運 動

フレイル対策は、サルコペニア（筋肉の減少）の予防が重要である。動かない状態が続くと、筋肉量が低下するばかりか、不動状態により筋肉の痛みが発生することや、社会性が減少し、さらに活動を低下させることにつながる。
高齢者個々の生活習慣を知り、運動習慣を継続して、筋肉量を維持・増強できるようにしていくことが重要である。

POINT

■ 高齢期の身体機能の低下に対しては、筋力増強トレーニングが有効である。

■ 日常のなかで無理なく、そして心地よく身体活動を増やせるように指導する。

EVIDENCE

フレイルに対する運動の効果 (文献3)

■ メタ解析によると、高齢者における運動療法と栄養補給ではフレイルの発症を38％低下させ、運動療法単独でも37％低下させることが明らかになっている。また、フレイルの予防には、柔軟性運動（ストレッチ）や軽度のレジスタンス運動*と有酸素運動、バランス運動**を組み合わせると効果が高い。

*レジスタンス運動：筋肉に負荷をかける動きを繰り返し行う運動。

**バランス運動：動的動作を行うときや、止まった状態で姿勢を保つための、バランス能力を向上させる運動。

■ウォーキング

1日5,000歩～7,000歩のウォーキングが有効である。1日の歩数が5,000歩未満の高齢者は、歩数を1,000歩増やすことで死亡リスクが23％低下し、フレイルの発症を15 ～ 26％低下させることが明らかになっている(文献4)。近所を1km程度歩くことで運動に加え、地域との交流も期待できる。

フレイル予防の ウォーキングフォーム

・頭は揺らさずしっかりと！
・肩は力を抜いてリラックス

・目線はまっすぐ
・呼吸は自分のリズムで

・腰の回転で歩幅を広げる
・ひじはやや曲げて、腕を大きく振る

・しっかり大地をキック
・膝を伸ばしてかかとから着地

POINT

■ 屋内の生活でも2,000 ～ 4,000歩は歩行しているため、あともう1km（2,000歩相当）歩く。

■ 7 ～ 8分は早歩きを意識する。

■ いつもより10cm大股で歩くことを意識する。

■椅子を使用した起立着席運動

起立着席運動は日常生活動作であり、かつ低負荷でどこでもできる運動である。10回を1セット、1日3セットを目安として最低でも週2回以上行う。

※転倒に注意しながら掴まるところなどを用意して行う。

POINT

■ 筋力の増強には筋肉への負荷が必要であり、ややきついと感じる程度の負荷が必要である。

■ 身体能力の高い高齢者にはよりゆっくりと、低い高齢者にはより素早く動作を行う事で適度な疲労を与えることができる。

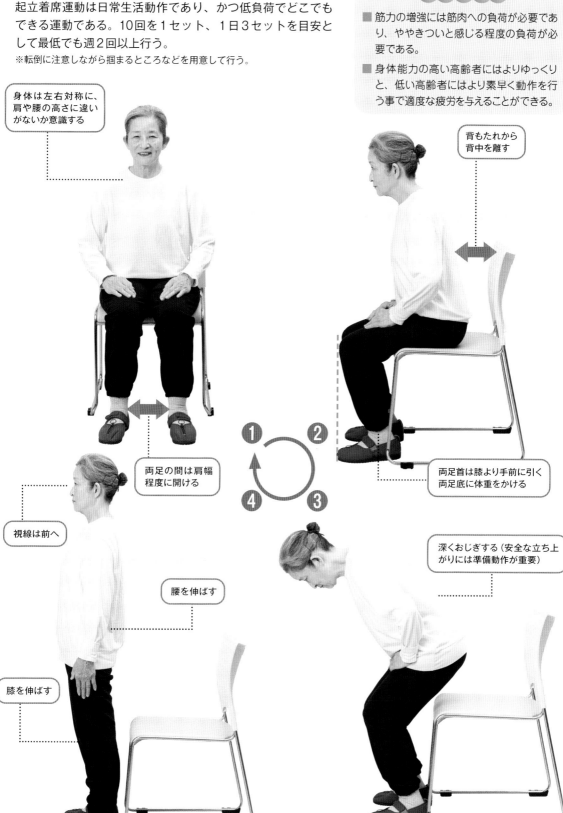

身体は左右対称に、肩や腰の高さに違いがないか意識する

背もたれから背中を離す

両足の間は肩幅程度に開ける

両足首は膝より手前に引く 両足底に体重をかける

視線は前へ

腰を伸ばす

膝を伸ばす

深くおじぎする（安全な立ち上がりには準備動作が重要）

STUDY　疼痛の緩和

高齢者は多くの「痛み」を抱えやすいが、「年のせいだから仕方ない」などと高齢者自身も周囲もその苦痛を見過ごすことがある。痛みは、高齢者本人にしかわからない感覚であり体験である。痛みがあると体を動かすことが辛くなる。そのため、高齢者の抱える様々な痛みに耳を傾け、評価することが必要である。高齢者の痛みを想像し、適切なケア（鎮痛剤の使用やストレッチ、補助具の使用など）により痛みを緩和しながら心地よく運動できるように支援することが重要である。

■痛みを評価するスケールの例　NRS(Numerical Rating Scale)

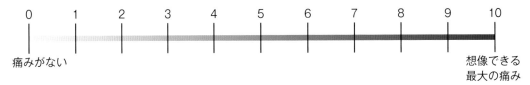

NRSは、0が痛みなし、10が想像できる最大の痛みとして、0～10までの11段階に分けて、現在の痛みがどの程度かを指し示してもらい、痛みを評価するスケールである。
痛みを数字にして表すことで、高齢者とケアをする双方が痛みをイメージしやすくなる。また、例えば痛みが3以上ならば鎮痛剤を内服するなどといった指標にすると、効果的である。

栄　養

低栄養の高齢者はフレイルの状態に陥りやすい。フレイルの予防・改善には、低栄養の状態を改善することが肝要であり、適正なエネルギー量の摂取と特にたんぱく質の摂取が重要である。高齢者は、食べる機能が低下し、食べる量や品数が減ることや、調理が大変になることで十分な栄養が摂取できないことがある。高齢者個々の食生活状況を把握し、低栄養*を見つけ出し、適切な支援をしていく必要がある。
*低栄養とは、人が活動するうえで必要なエネルギーやたんぱく質、ビタミンなどの栄養素が不足した状態をいう。

栄養介入の効果 (文献5、6、7)

■ メタ解析によると、食事療法は運動療法と併用して行うことで、フレイルの予防効果があることが明らかになっている。とくにたんぱく質の高摂取や、野菜・果物・全粒穀物が多い健康的な食事パターンは、フレイル発症リスクの低下と関連があると報告されている。

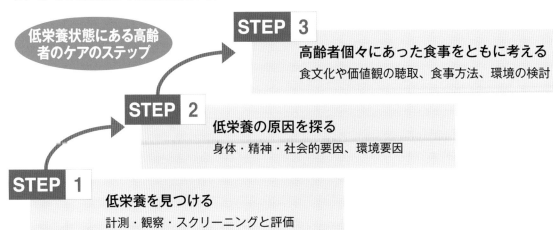

低栄養状態にある高齢者のケアのステップ

STEP 3
高齢者個々にあった食事をともに考える
食文化や価値観の聴取、食事方法、環境の検討

STEP 2
低栄養の原因を探る
身体・精神・社会的要因、環境要因

STEP 1
低栄養を見つける
計測・観察・スクリーニングと評価

STEP 1 低栄養を見つける

低栄養では、エネルギー摂取不足およびたんぱく質摂取不足、ビタミンやミネラルの摂取不足のほか、脱水の症状があらわれる。このような症状を見つけ、身体計測やスクリーニング（P.26参照）を実施することで低栄養を早期に見つけることに役立つ。

高齢者の1日の摂取量の目安

水分量：1,500mL前後
たんぱく質量：[1.0～1.2g]×体重(kg)
ビタミンC量：100mg
ビタミンD量：8.5μg
ビタミンE量：6.5～7.0mg

■観察

低栄養の状態を見つけるためには、まずは見た目や体、心に症状が出ていないか、観察が必要である。

外見の変化	筋肉や皮下脂肪が少なく、痩せている 乾燥し、皮膚に張りがない　髪の毛が抜ける
からだの症状	倦怠感　ふらつき　浮腫　むせやすい　傷の治りが遅い　免疫力の低下により感染症にかかりやすい
こころの症状	物事への関心の低下　意欲・活気の低下　怒りっぽい

■体重計測

定期的に体重を測定し、6か月で2kg以上、意図せず体重が減った場合にはフレイルを疑う。BMI値を計算して、「やせ」に分類される場合も注意する。

BMI（Body Mass Index：ボディ・マス・インデックス）

BMIの計算式

(kg/m²)＝体重(kg)/[身長(m)]²

体重(kg)÷身長(m)÷身長(m)

BMIの基準値

やせ　18.5未満／普通　18.5～25／肥満　25以上

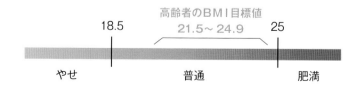

高齢者のBMI目標値
21.5～24.9

18.5　　　　　　　　　　　25

やせ　　　　　普通　　　　　肥満

■血液検査

健康診断などで血液検査を行った際は、たんぱく質の指標であるALB（アルブミン）の値が3.5g/dL以下になっている場合、低栄養を疑う。

■筋肉量

「日本人の新身体計測値JARD2001」を基準とし、平均値の90%以上を正常、
80～90%が軽度、60～80%が中等度、60%未満を高度の低栄養と判定する。

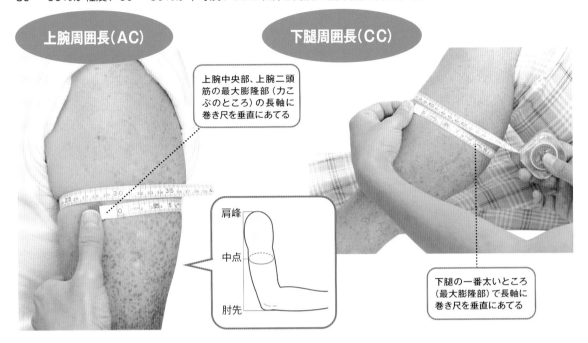

上腕周囲長（AC）

上腕中央部、上腕二頭
筋の最大膨隆部（力こ
ぶのところ）の長軸に
巻き尺を垂直にあてる

肩峰
中点
肘先

下腿周囲長（CC）

下腿の一番太いところ
（最大膨隆部）で長軸に
巻き尺を垂直にあてる

JARD2001平均値

〈AC〉		〈CC〉	
男性	**女性**	**男性**	**女性**
65～69歳：27.28cm	65～69歳：26.40cm	65～69歳：33.88cm	65～69歳：32.43cm
70～74歳：26.70cm	70～74歳：25.57cm	70～74歳：33.10cm	70～74歳：31.64cm
75～79歳：25.82cm	75～79歳：24.61cm	75～79歳：32.75cm	75～79歳：30.61cm

見た目で見つける低栄養

看護師や介護士は患者の一番
そばにいる医療者であるため、
身体変化に気づきやすい。右
のような身体変化の兆候を認
めた場合には、低栄養状態と
なっている可能性が高いため、
後述する栄養スクリーニング
を行うことを推奨する。

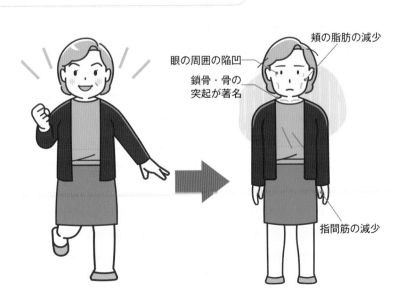

頬の脂肪の減少
眼の周囲の陥凹
鎖骨・骨の
突起が著名
指間筋の減少

STUDY 指輪っかテスト（文献8）

筋肉量の減少（サルコペニア）を見つけるための有効な手段として指輪っかテストがある。椅子に座った状態で両足を床につけ、前かがみになり、利き足でないほうのふくらはぎの一番太いところを両手の親指と人差し指で掴む。指先どうしがつかず、ふくらはぎを掴めない場合はサルコペニアの危険度が低く、ちょうど掴める場合は2.4倍、隙間ができる場合は6.6倍サルコペニアの可能性が高いとされている。

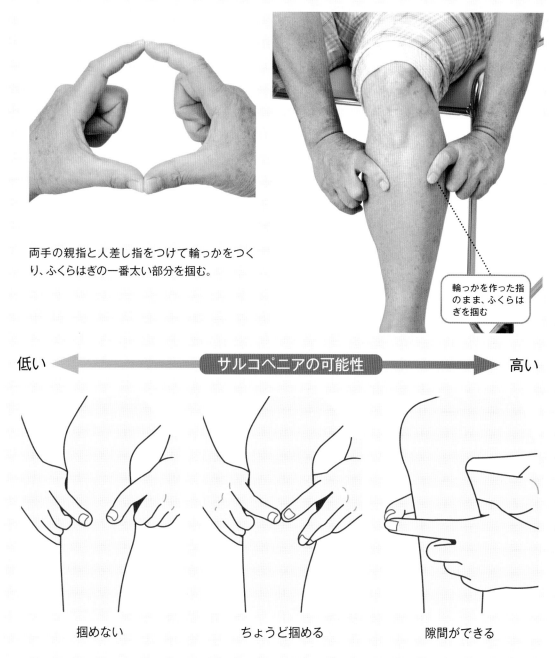

両手の親指と人差し指をつけて輪っかをつくり、ふくらはぎの一番太い部分を掴む。

輪っかを作った指のまま、ふくらはぎを掴む

低い ← サルコペニアの可能性 → 高い

掴めない　　　　ちょうど掴める　　　　隙間ができる

飯島勝矢、田中友規ら（Tanaka T, Iijima K, et al. GGI2018）：東京大学高齢社会総合研究機構「フレイル予防ハンドブック」より引用

■栄養状態のスクリーニング

栄養スクリーニングは、低栄養あるいはそのリスクがあるものを簡便・迅速な方法で抽出することを指し、早期に低栄養のリスクがあるものを見つけることができる。

スクリーニングには多種あるが、多くは体重減少、BMI、食事摂取量、急性疾患・ストレスの影響などの項目から構成され、短時間で実施できるものが多い。

代表的なものに、高齢者向けに開発されたMNA-SF (Mini Nutritional Assessment Short-Form)（文献16）、在宅・病院など幅広く使用可能なMUST (Malnutrition Universal Screening Tool)（文献17）、急性期向けでの使用を想定されたNRS2002 (Nutritional Risk Screening)（文献18）、などがある。

■栄養状態の評価

スクリーニングで低栄養の疑いがある高齢者を見つけたら、次は栄養状態のアセスメントを行う。栄養アセスメントには、高齢者向けに18項目で構成された主観的包括的評価MNA (Mini Nutritional Assessment)（文献19）、SGA (Subjective Global Assessment)（文献20）、PG-SGA (Patient-Generated SGA)（文献21）などの栄養アセスメントツールがある。本項では、2018年に複数の国

際学会により合同開発された低栄養の診断基準であるGLIM (Global Leadership Initiative on Malnutrition)基準（文献22）を紹介する。

※GLIMは、2018年に臨床栄養に関連する世界4学会（米国静脈経腸栄養学会、欧州臨床栄養代謝学会、アジア静脈経腸栄養学会、南米静脈経腸栄養学会）によるワーキンググループである。

GLIM基準

低栄養スクリーニングによるリスク判定と、表現型 (phenotypic criteria)、病因 (etiologic criteria)の評価により低栄養を判定する。

①低栄養スクリーニング

初めに、妥当性の高いスクリーニングツールにて低栄養リスクが高いかを判断する。

②低栄養診断

スクリーニングで低栄養リスクありと判断され、表現型基準3項目（意図しない体重減少、低BMI、筋肉量減少）と病因基準2項目（食事摂取量減少／消化吸収低下、疾患による負荷／炎症反応）の、両基準のそれぞれ1つ以上に該当する場合、低栄養と診断する。

表現型(phenotype criteria)			病因(etiologic criteria)	
意図しない体重減少(%)	BMI(kg／㎡)低値	筋肉量の減少	食事摂取量減少または吸収の低下	疾患による負荷／炎症
過去6か月以内に5%以上の体重減少	70歳未満の場合18.5未満	妥当性のある身体組成測定法での筋肉量の減少を認める(DXA,BIA,CT,MRIなど)	1週間以上50％以下のエネルギー摂取または食事摂取量の低下が2週間以上持続または食物の同化や吸収に影響を与える慢性的な消化吸収障害がある	急性疾患/外傷による炎症
過去6か月以上で10%以上の体重減少	70歳以上の場合20未満	※下腿周囲長でも可		または慢性疾患関連による炎症

表現型と病因のそれぞれ1項目以上該当

低栄養

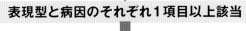

Cederholm T, et al：GLIM criteria for the diagnosis of malnutrition - A consensus report from the global clinical nutrition community. Clin Nutr 38：1-9, 2019. より筆者作図

③重症度判定

低栄養診断で低栄養と診断されたら、表現型基準の3項目から、より高度な基準値を超えた場合を重症低栄養、そうでないものを中等度低栄養と判定する。

	中等度の低栄養	重度の低栄養
意図しない体重減少	5～10%／6か月以内	＞10%／6か月以内
低BMI	＜22.0kg/㎡（70歳以上）	＜18.5kg/㎡（70歳以上）
骨格筋減少	設定なし	

Cederholm T, et al：GLIM criteria for the diagnosis of malnutrition -
A consensus report from the global clinical nutrition community. Clin Nutr 38：1-9, 2019. より筆者作図

STEP 2 低栄養の原因を探る

高齢者が低栄養となっている要因は様々であり、要因を見つけることで何に介入するべきかを見つけることができる。

■高齢者の低栄養の要因

身体的要因

個人要因
- 嗅覚、味覚の低下
- 摂食嚥下機能の低下
- 口腔内環境の悪化、義歯の不適合
- 食欲低下 ● 消化管運動の減退
- 日常生活動作の低下
- 様々な基礎疾患
- 薬物の有害事象、ポリファーマシー＊
  ＊害のある多剤併用

環境要因
- 摂食嚥下能力に合わない食事形態
- 不適切な食事環境（姿勢、椅子やテーブルの高さが合わない、など）
- 不十分な口腔ケア
- おいしさを感じられない食事の盛り付け
- 身体機能に合わない食器の使用

精神的要因

個人要因
- 認知機能低下、認知症
- うつ
- 誤嚥・窒息の恐怖
- せん妄

環境要因
- 穏やかに生活できない暮らしの場
- 不眠時の向精神薬の使用

社会的要因

個人要因
- 貧困
- 独居または高齢夫婦のみの世帯
- 家事能力の低下

環境要因
- 介護力不足、ネグレクト
- 他者との交流機会の減少
- 社会とのつながりの希薄化

船橋久美子：低栄養. 山田律子, 内ヶ島伸也編「生活機能からみた老年看護過程＋病態・生活機能関連図 第4版」医学書院, p.323, 2020 . より

STEP 3 高齢者個々にあった食事をともに考える

高齢者の低栄養を予防するためには、個々の大事にしてきた食文化や価値観を十分に踏まえたうえで、食事の内容やタイミング、食事環境などを検討する必要がある。

食事は人が生命活動を維持するばかりではなく、食習慣や嗜好など、個々の人生のなかで培ってきた食文化が反映された営みであり、人生を豊かに彩る重要な要素の1つである。

たとえば、家族や知人との食事を楽しみにしていた高齢者は、家族や重要他者とともに食事をすると摂取量が増えることがある。得意料理や好物、季節に合った食事は思わず箸が進むこともある。

こうした、高齢者個々の文化的な営みとしての食事を見つめ、食支援することが肝要である。

■食品摂取の多様性を評価・指導する

フレイル対策には、高齢者の筋肉の量と機能を維持するため、とくに十分なたんぱく質摂取が重要であり、食品摂取の多様性を高くする方法が推奨される。食品摂取の多様性評価票は、不足する食品を見つけることに役立つ。

食品摂取の多様性評価票

直近の1週間において、次にあげる10食品群を週に何日ぐらい食べましたか。
ほとんど毎日食べる場合は1点、そうでない場合は0点とします。

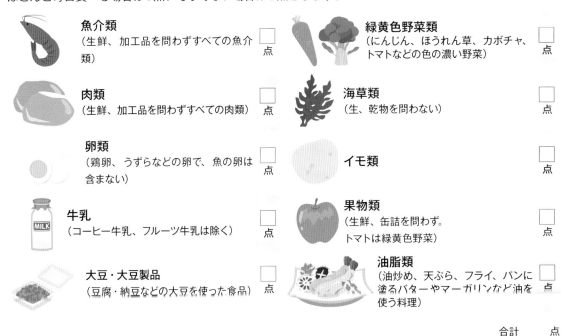

食品群	点	食品群	点
魚介類（生鮮、加工品を問わずすべての魚介類）	点	**緑黄色野菜類**（にんじん、ほうれん草、カボチャ、トマトなどの色の濃い野菜）	点
肉類（生鮮、加工品を問わずすべての肉類）	点	**海草類**（生、乾物を問わない）	点
卵類（鶏卵、うずらなどの卵で、魚の卵は含まない）	点	**イモ類**	点
牛乳（コーヒー牛乳、フルーツ牛乳は除く）	点	**果物類**（生鮮、缶詰を問わず。トマトは緑黄色野菜）	点
大豆・大豆製品（豆腐・納豆などの大豆を使った食品）	点	**油脂類**（油炒め、天ぷら、フライ、パンに塗るバターやマーガリンなど油を使う料理）	点

合計　　点

熊谷修、渡辺修一郎、柴田博 他：地域在宅高齢者における食品摂取の多様性と高次生活機能低下の関連. 日本公衆衛生雑誌. 50(12)：1117-1124, 2003. を参考に作成

食品摂取の多様性評価票は10項目（魚介類、肉類、卵類、牛乳、果物類、大豆・大豆製品、緑黄色野菜類、海草類、イモ類、油脂類）を毎日1品食べているかで1点とし、合計点を出す。合計点が高いほどフレイルのリスクを低下させることが期待できる。

こうしたツールを使いながら、高齢者が普段どのような食事を摂取しているかを確認し、不足する栄養素を見つけ出し、食生活に取り入れられるよう指導する。また、調理が大変な場合や、買い物が困難な場合も多いため、主食と副菜をそろえて一日2回以上の食事を指導することや、補助食品（メイバランスやゼリーなど容易に購入できるもの）の活用も役に立つ。

■オーラルフレイルの予防

オーラルフレイルとは、身体的フレイルを引き起こす要因として口腔機能の維持・向上の重要性を啓発することを目的とした概念（文献2）であり、口腔機能の脆弱状態を意味する。

オーラルフレイルの状態では、口腔内の機能の低下から食べる機能も低下し、低栄養や身体的フレイルをきたしやすい。口腔衛生状態や口腔機能の維持のためには、早期にオーラルフレイルを発見して適切な介入をすることが必要である。

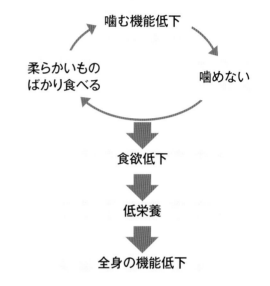

オーラルフレイルの早期発見

● 基本チェックリスト（p.17参照）の「固いものが食べにくくなった」「お茶や汁物等でむせる」に当てはまることがあればオーラルフレイルを疑い、早期に対策をとる必要がある。

口腔機能低下を防ぐ日常生活の工夫

● 口腔機能の維持には日常の会話や他者との交流を積極的に行い、表情を表出することが大切である。これにより、活動的になり身体活動や知的活動が増えることは、オーラルフレイルのみならず、フレイルの予防や改善につながる。

定期的な歯科受診

● 口腔機能を維持するためには歯科による専門的ケアを受けることを推奨する。

● 歯の健康は、80歳で歯が20本あるかが一つの基準となる（8020運動：「いつまでもおいしいものを食べ続けるための元気な歯は、日々の手入れから」をスローガンに、20本以上の歯があれば食生活に満足できるといわれていることから、1989年より厚生省（当時）と日本医師会が「80歳になっても20本以上の歯を保とう」と推進している運動である）。

● 歯を健康に保つため、現在のセルフケアに問題がないか定期的に歯科を受診し、歯周病の治療や、歯石の除去、口臭、口腔乾燥の改善といった食べる機能を維持するための専門的口腔衛生管理を受けることが大切である。

● 歯を喪失した場合にも、義歯を調整することや、インプラント治療により咀嚼力を維持することが大切である。

POINT

■ 摂食嚥下障害がある場合は、p.54の摂食嚥下障害への対応策を参考にされたい。

EVIDENCE

オーラルフレイルとフレイルの関連

■ フレイルの高齢者では咬合力および舌・口唇運動機能の低下、咀嚼筋の菲薄化が認められる。Tanakaらの縦断研究（文献9）によると、オーラルフレイルでは2年後のフレイル発症リスクは2.41倍であった。

唾液分泌の促進

●高齢者は唾液の分泌量が減少しがちである。このような場合には、唾液分泌を促すマッサージを行うことも効果的である。患者自身でできる場合は、方法を指導する。

唾液マッサージ

唾液分泌を促進し、口腔内を潤わせることで、乾燥による痛みの軽減や虫歯予防、口臭予防、消化の促進につながる。指数本を頬に当て、耳の前（上の奥歯のあたり）を10回程度、円を描くようにマッサージをする。

【その他の方法】
舌下腺：顎の下の中心あたりの柔らかい部分に両手の親指をそろえて当て、10回程度、押すようにマッサージをする。
顎下腺：耳の下から顎の下あたりのくぼみ3～4か所を、5回程度指先で押す。
※緊張すると唾液の量が減るため、リラックスして心地よいと思える強さで実施する。また驚かせないように少しずつ進めることが重要である。

耳下腺

耳下腺のあたりを円を描くようにマッサージする

パタカラ体操

パタカラ体操により、唇や頬、口周りの筋力アップ、また唾液分泌、口唇・舌の動きの向上を促す。その結果、口腔機能が高まり、食べ物が飲み込みやすくなる。また、イキイキとした表情になり、活気が出ることも期待できる。食事の前だけではなく、日常的に行うとよい。

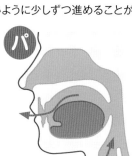

唇をはじくように

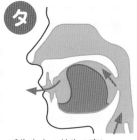

舌先を上の前歯の裏につけるように

舌の奥を上顎の奥につけるように

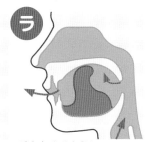

舌を丸めるように

舌の運動

舌の運動をすることで舌の筋力がアップし、誤嚥やむせなどの症状改善につながる。

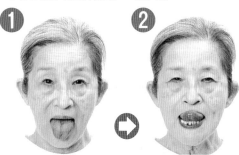

❶ 口を開けて、舌をできるだけ出す。❷ 上くちびるを舌先で触るように上へ持ち上げる。

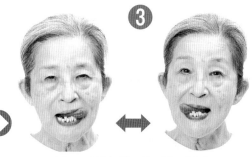

❸ 左右の口の端を舌先で触るように動かす。

社会参加

高齢者は大切な人との死別や社会的な役割の喪失を体験し、社会とのつながりが希薄になりやすい。社会とのつながりが薄くなると、だんだん閉じこもりがちになり、徐々に食欲が低下し、低栄養となり、フレイルになるという悪循環をきたす。

社会参加の減少はフレイルの入口！

■社会参加の意義

高齢であっても、自らの意思で社会参加をすることで、新しい友人に出会えたり、地域とのつながりができたり、社会貢献によるこころの充実感を得られ生きがいを感じられるなど、心身に良い影響を及ぼすことが考えられる。その結果、活動量が増えることでフレイル予防や改善につながる。

■社会参加の目安

高齢者の死亡率の低下に、社会参加（例：地域のボランティア活動などを週に2日以上行う）が、運動習慣と同じくらい影響していることが明らかになっている。社会参加は、以下を目安にするとよい（文献15）。

EVIDENCE

社会参加によるフレイル予防効果

■ 自立している対象高齢者を3つの活動（身体活動・文化活動ならびにボランティア・地域活動）の実施状況で分け、8群でフレイルのリスクを比較したところ、何もしていない群はすべて実施している群の約16倍のリスクであったと報告されている（文献10）。

POINT

■ 高齢者のもつ力に着目した社会参加の継続を促す。

→ 高齢者個々の人生史に耳を傾け、大事にしてきた活動や特技などを活かせる場を作ることで、活動を楽しく継続できることを支援する（例：囲碁が得意な高齢者にデイサービスで囲碁のレクチャーをしてもらう。庭の草刈を長年してきた高齢者にシルバー人材で草刈を依頼する など）。

■ 高齢者が参加しやすい通いの場につなげる。

外出	社会交流	社会参加
1日1回以上	**週1回以上**	**月1回以上**
閉じこもりを防ぐために、買い物や散歩など、少しでも家から出る。	孤立しないために、近所の人や家族、友人など誰かと関わりをもつ。	地域の交流会や趣味活動の場など、人が集まって行う活動に参加する。

■「通いの場」の種類

社会参加における「通いの場」は、運営がなされていないご近所づきあいから、運営がなされているスポーツクラブまで、さまざまである。

「運営」がなされていない活動	**住民を取り巻く多様なつながり** 例）月1回未満の住民の集まりや、月1回以上であっても、挨拶程度の関係性（喫茶店やファミレス、フィットネスジムや銭湯、犬の散歩などの顔なじみ同士の関係）
「運営」[注]がなされている活動	**共通の生きがい・楽しみを主目的にした活動** 例）趣味活動（運動系、文化系活動等）、総合型地域スポーツクラブ、就労的活動、ボランティア活動の場等の社会貢献活動など。 **交流（孤立予防）を主目的とする活動** 例）住民組織が運営するサロン（補助金の有無に関わらず）、地域の茶の間、老人クラブなど。 **心身機能維持・向上などを主目的とした活動** 例）住民組織が運営する体操グループ

注）運営手法（屋内外、料金の有無、多世代の参加、民間企業等の関与の有無等）は問わない

心地よく生活してフレイル対策

日常生活における"ちょっとした過ごしにくさ"を改善する

フレイルと排泄の関係では、頻尿が多いことや便秘が影響していると報告されている（文献11、12）。頻尿に対しては膀胱訓練や泌尿器科の受診を勧めることで改善が期待でき、便秘は排便姿勢の工夫や適切な運動習慣・食事習慣の見直しが重要である。

不眠は、睡眠の質が低下すると活動意欲を低下させ、フレイルと関連があったと報告がある。日常生活リズムの見直しや、かかりつけ医に相談し、眠れるような支援が必要である。

難聴はフレイルの危険因子であり、視力障害があるとフレイルの予後が不良と推定される（文献13、14）。こうした感覚機能の低下を歳のせいと諦める前に、フレイル対策の重要性も踏まえ、歯科や耳鼻科受診を勧め、眼鏡や補聴器の補助具を使用することや、白内障・耳垢塞栓といった原因がある場合には取り除くことも重要である。

また、室内環境を整え、段差を少なくすることや、寝室からトイレまでを近くする、気軽にダイニングでお茶することができるように綺麗にしておくなど、生活環境の工夫も効果的である。高齢者の日常生活における"ちょっとした過ごしにくさ"を改善し、心地よい生活を整えることがフレイルの予防と改善につながる。

フレイル対策は、高齢者が望む暮らしを継続するために行う。そのため、高齢者個々がどのようにこれからの人生を暮らしていきたいのか、十分に話し合ったうえで進めていくことが望ましい。

高齢者を理解し、QOL を支えるために

高齢者のエンド・オブ・ライフケア

高齢者を理解し、QOLを支えるために

高齢者看護は疾患に対する看護にとどまらず、その人の生きてきた歴史と加齢現象の双方を考慮に入れた支援をしていくことがポイントとなる。生活歴もさまざまであり、加齢現象の現れ方も千差万別である。その人が行える日常生活動作がどのくらいか、自力でできること、一部介助が必要なこと、見守りが必要なこと、自己の思いを訴えられるのかなど、生活機能の観点から総合的にアセスメントし、看護を実践することが重要になる。その際に、「その人なり」「その人らしさ」を大切にして、看護師の価値観や判断を押し付けないことである。他者に依存せざるを得なくなった自己に対する不安や恐怖、悲しみ、失望、落胆など大きな痛みを抱いている高齢者の心情に思いを向けたうえで、自尊心を傷つけず、尊厳を大切にした看護が基本である。高齢者看護の目標は、高齢者の持てる力、能力を最大限に引き出し、個々の患者に応じた社会参加を促し、QOLを向上させ、向上させたQOLをできるだけ長く維持することにある。また、生きていくことを肯定的に、前向きに受け止められるよう働きかけることもQOLの視点から重要である。高齢者は入院に至るまでの間や、入院を契機に心身の活力を失い、フレイル状態になりがちである。いかにフレイルを改善し、予防していくかは、高齢者のQOLを左右する重要な視点である。QOLを支え、自立した生活が送れるようにその人が望む生き方ができるよう支援することを念頭に置き、ケアすることを心がけたい。

高齢者を理解するために

高齢者を理解するためには、疾患の理解と併せて、加齢に伴う変化を理解し、時代的背景と個人史によって培われた価値観を受容することが大切である。
入院による治療・検査は、どのような人にも不安を感じさせる。
特に、高齢者は、死への恐怖や不安、孤独感を強く感じるようになる。
日常はこれらを感じない方でも、入院によってこれらの感情が表面化したり強く現れ出てくる。
このような状況にある高齢者を理解し、受け止めていくことがポイントである。

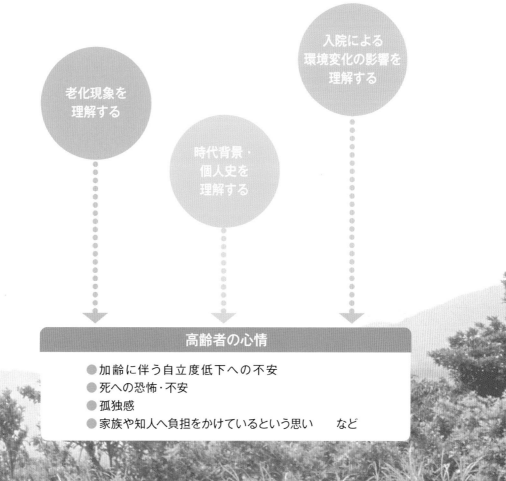

老化現象を理解する

入院による環境変化の影響を理解する

時代背景・個人史を理解する

高齢者の心情
- 加齢に伴う自立度低下への不安
- 死への恐怖・不安
- 孤独感
- 家族や知人へ負担をかけているという思い　　　など

高齢者の特徴と情報収集

高齢者は身体的機能の低下、長い人生経験に基づいた精神的特徴、
社会的立場の変化からもたらされる特徴をもっている。
これらの特徴をふまえたうえで、身体的機能・精神的機能・社会的機能に
ついて情報を収集することが必要である。

身体的機能について

疾患・既往歴、BMI、食事・排泄・歩行・清潔に関する日常生活動作に関することや、外
出・買い物・家計・服薬管理・料理などの能力、皮膚の状態、拘縮や麻痺の有無・程度、
摂食・嚥下機能、口腔内の状態、睡眠状態、聴力、視力、味覚などさまざまな角度からの
情報を収集する。

精神的機能について

長い人生経験により培われた個性が影響することを考慮したうえで、認知機能、抑うつ状
態、コミュニケーション能力などについて情報を収集する。

社会的機能について

ほとんどの高齢者が社会の第一線から離れることで、役割の喪失や経済力の低下、人間関
係など社会的交流の減少を経験する。しかも、高齢者同士の夫婦二人暮らしや独居である
ことも多く、社会資源の活用や支援が必要となることも少なくない。
疾患に関する情報と日常生活に関する情報の両方に目を向け、情報を収集する。

高齢者が歩んだ時代背景と身体的・精神的・社会的特徴

高齢者は、加齢による身体的・精神的機能の低下、社会的役割の変化にさらされている。

加えて、高齢者が歩んだ人生の時代的背景が、個人の価値観・生き方に大きな影響を与えていることを理解する必要がある。

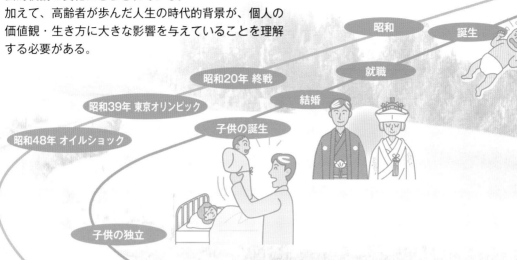

昭和

誕生

昭和20年 終戦

就職

昭和39年 東京オリンピック

結婚

昭和48年 オイルショック

子供の誕生

子供の独立

昭和60年代 バブル時代

身体的特徴
- 予備能力の低下
- 内部環境の恒常性維持機能の低下
- 複数の病気や症状を持っている
- 症状が非定型である
- 感覚機能の低下
- 現疾患と関係のない合併症を起こしやすい

平成 不況の時代

年金生活

精神的特徴
- 長い人生経験により培われた個性が影響
- 老いた自分を受け入れられない、経験主義的、冒険しにくい
- 喪失感、寂しがり、愚痴っぽくなる
- 職業上の責任や義務からの解放

伴侶の喪失

入退院の繰り返し

令和2年 新型コロナウイルス感染症

令和3年 東京オリンピック

社会的特徴
- 第一線から離れる（役割の喪失）
- 経済力の低下
- 人間関係や役割などの社会的交流の減少
- 交流の機会や生き甲斐などを失いやすい
- 扶養する立場から、扶養され世話される立場へ（家長の交代）
- 情報からの隔絶
- 生活リズムの再構築

人生の最終段階への準備
- 身近な人を失う喪失感
- 自分事としての死への意識

高齢者の入院と疾患の特徴

入 院

入院生活に
よる影響

成人であれば重大な後遺症を残した場合を除き、
疾患の回復や治療の終了が元の状態への回復となる。
しかし、高齢者の場合は、疾患の経過そのものが長いこともあり、入院生活による影響を受け、その後の生活に影響を及ぼすことが多い。

例えば、数日間の入院で臥床していた場合

1 筋力の低下により歩行時に転倒の危険が増加

2 身体を動かさないことでの褥瘡の発生

3 食欲の低下

4 排泄機能の変調

5 昼夜の区別なく臥床していることでの睡眠パターンの変化

6 「自分は、なぜここに寝ているのだろう」との見当識障害を引き起こすことがある

高齢者の特徴をふまえたケア

QOLを低下させる骨折、褥瘡発生、誤嚥性肺炎などを予防する。
- 転倒・転落防止
- 筋力低下予防
- 褥瘡予防・褥瘡ケア
- 摂食機能の維持（飲み込む力、噛む力の維持）

フレイル予防・改善 →

生活者の視点から、高齢患者が持つ能力を維持・向上させる

■不動が引き起こす生体の変化（廃用症候群）

体 系	変 化
筋骨格系	関節拘縮、筋力低下、筋萎縮、不動による骨粗鬆症
心血管系	起立性低血圧、心血管反応の低下、心血管系の脱調節、循環血漿量の減少、血栓塞栓現象の増加（静脈血栓症など）
皮膚科領域	皮膚萎縮、褥瘡
呼吸器系	呼吸の機械的抵抗の増大（換気障害）、1回換気量・分時換気量の減少、咳嗽、気管支線毛運動の減少、沈下性肺炎、肺塞栓
泌尿生殖器系	残尿の増加、尿路感染症、尿路結石、排尿困難（前立腺肥大などによる場合や弛緩膀胱による尿閉）、頻尿
代謝バランス	負の窒素(N)バランス、負のカルシウム(Ca)バランス、負のイオウ(S)とリン(P)のバランス、その他のミネラル：マグネシウム(Mg)・カリウム(K)・ナトリウム(Na)
ホルモン環境	男性ホルモン・精子形成の減少、インスリン結合部位の減少、糖に対する成長ホルモンの反応性の変化、副甲状腺ホルモンの産生増加
消化器系	便秘、食欲低下
中枢神経系 （認知・行動を含む）	感覚・知覚鈍麻、バランス・協調運動の障害、認知機能の低下、混乱・失見当識、不安・抑うつ状態

Vallabona C：Immobilization syndrome. In：Halstead L, et al, editors. Medical rehabilitation . New York, Raven Press；1985. p285-296より一部改変
金丸晶子：寝たきり・廃用症候群． 日野原重明、井村裕夫監修、井藤英喜編集、看護のための最新医学講座 第2版 第17巻． 老人の医療． 中山書店、2005, p188より

疾 患

高齢者の疾患と
主な特徴

高齢者の疾患は非定型的な症状を示すことが多く、重症化しやすい。
発病前の状態に戻りにくく、日常生活機能に障害を残す場合も多い。
これらの特徴をふまえて看護を行う必要がある。

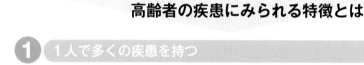

高齢者の疾患にみられる特徴とは

1 1人で多くの疾患を持つ

2 重症化しやすい

3 発病前の状態に戻りにくい

4 日常生活上の機能障害を起こしやすい

5 非定型的症状・徴候を示すことが多く、一般的に症状に乏しい

6 社会的背景（伴侶の死など）、心理的背景（うつ病など）が疾患の発症・悪化要因になっている人が多い

7 予後が社会的背景（家族関係・経済的事情など）により左右されることが多い

8 多種多様な薬剤を服用していることが多く、服薬調整することで症状が軽減することがある

高齢者のQOLを支える看護

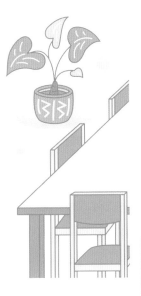

看護

QOLを
支える

"ひと"が生きていくうえで基本となる食事・排泄・活動・睡眠・コミュニケーションなどに目を向け、日常生活動作（ADL：Activities of Daily Living）を通して高齢者の持てる力を引き出していくことが、QOLを支える質の高い看護につながる。

高齢者は加齢に伴い心身の活動性が低下し、社会参加の機会も減少してフレイルになりやすい。また、もの忘れや尿失禁などが生じることで、自尊心が傷ついてしまったり、訴えが曖昧で要領を得ない、同じ話を繰り返す、時系列に順序立てた説明ができない等の経験により自信をなくしてしまう高齢者も多い。

このような高齢者に対して、イライラしたり、心ない言葉で傷つけることがないよう配慮することが大切である。

看護師は思いやりある受容的な態度で、高齢者が主体的にフレイルを改善・予防してADLを向上させて自立した生活を目指し、前向きに自己の人生を受け止められるよう支援していくことが、QOLを支える看護となる。

高齢者への看護のポイント

1 高齢者の疾患にみられる加齢に伴う機能低下などを十分に理解し、患者の変化を見逃さない

2 個々の価値観を尊重し、人としての尊厳を守ることをケアの基本とする

3 入院を契機に陥りやすいフレイルに留意する

4 高齢者の機能を総合的に判断して、生活機能の維持・向上に向けて支援する

5 患者の退院後の生活を意識して、退院後の困難への支援を早期から実施する

6 高齢者に残された時間の濃密さ、貴重さに共感しながら、思いやりをもって看護する

患者の変化を見逃さないために

1 患者本人が自分の状況・状態を的確に表現できない場合、教科書的に症状が出ない場合もあることを理解する

2 失語症や難聴により訴えられないこともある。運動性失語症であれば「はい」で答えられるような質問の方法をとったり、うなずきで答えられるようにする

3 難聴がある高齢者の中には医療者に遠慮し、話している相手の言葉が聞こえていなくても、うなずいたり、返事をすることがある

4 きちんと聞こえているかどうかを判断するために看護師は、「お腹が痛いですか」「お腹は痛くないですか」といった反対の質問をしてみる。どちらにもうなずいたり、「はい」と答えた場合には、きちんと聞こえていないことがわかる。ただし、認知機能低下との区別も必要になる

5 表情や会話時口調の変化等から心境の変化に留意する

QOLを支える看護を実践するには

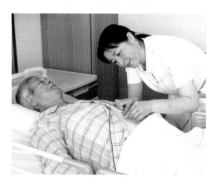

五感を使った看護を

話を聴く、受容する

観察する

情報を共有する

待つ、見守る

チーム医療・医療連携の実践

安全に配慮する

短時間で情報を収集しようとせず、入院後はケアの場面で五感を使いながら、生活者の視点に立ち、患者をよく知ろうとする気持ちで、小さなサインをキャッチしながら看護を実践していく。

- 予測の看護
- 気づきの看護
- 予防の看護
- 多職種・家族を交えたチーム医療・看護

その人らしさを大切に

- QOLの維持・向上
- ADLの維持・向上
- 安全・安心への配慮
- 退院支援・退院調整

退院後の生活をイメージ

高齢者のQOLを維持・向上させるために

- ADL機能を高める援助を
  ⇒残存機能を生かし、できることは自力でできるよう支援。リハビリテーションを活用する。早期離床に努める。
- 高齢者の訴えをよく聴く
  ⇒自分の訴えをよく聴いてもらうことで「受け止められた」と感じ、安心感が得られ、入院生活の力となる。
- 周囲への関心と配慮を促進する
  ⇒周囲の人たちと安心できる関係作りをすることで、他者への興味と関心が高まる。
- 体力の維持・回復のために
  ⇒食欲促進への工夫、口腔機能の維持・改善を図る。

高齢者の総合機能評価

高齢者の日常生活にかかわる機能を総合的に評価し、それに基づいた看護を実践し、アウトカムをQOLの維持・向上につなげていくことが大切である。CGA（高齢者総合機能評価；Comprehensive Geriatric Assessment）は高齢者に対して、疾患の評価（普遍的評価）に加え、6つの切り口から包括的に評価を実施する。6つの切り口とは、次の6項目である。

①BADL（基本的日常生活動作；Basic Activities of Daily Living）
②IADL（手段的日常生活活動；Instrumental Activities of Daily Living）
③認知機能：改訂長谷川式簡易知能評価スケール
　　　　　　またはMMSE（Mini-Mental State Examination）
④情緒・気分・幸福度：高齢者抑うつ尺度15項目短縮版、意欲の指標
⑤コミュニケーション：ミニコミュニケーションテスト
⑥社会的環境・家庭環境：Zarit介護負担尺度

CGAは施設の特性や評価目的などにより使用するスケールが異なる。評価については、チーム医療として各専門分野のスタッフが各々の項目を評価する。BADLとIADLは国内で最も普及している評価法である。
東京都健康長寿医療センターでは、入院時にCGAシートでADLや短期記憶障害、退院支援の必要性についてスクリーニングを行っている。その結果を受けて、多職種での患者個々に応じた支援につなげている。

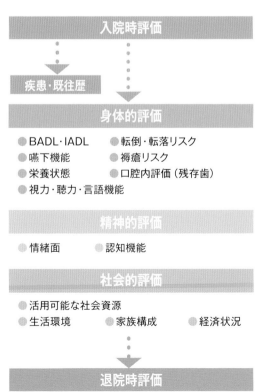

BADLの項目

●起床動作

●移乗

●移動

●食事

●更衣

●入浴

●整容

入院時評価

疾患・既往歴

身体的評価
●BADL・IADL　●転倒・転落リスク
●嚥下機能　　●褥瘡リスク
●栄養状態　　□口腔内評価（残存歯）
●視力・聴力・言語機能

精神的評価
●情緒面　　●認知機能

社会的評価
●活用可能な社会資源
●生活環境　　●家族構成　　●経済状況

退院時評価

高齢者総合機能評価が有用と考えられる対象

高齢者総合機能評価はQOLの維持、在院日数の短縮、ADLの維持、入院回数の減少などに有用といわれている。特に有用と考えられる対象を以下に示す。

① 重度の認知機能低下、ADL低下あるいは意欲低下のない症例
② 軽度－中等度の生活機能障害を有する例
③ 家庭の介護力の低い例
④ 後期高齢者

井藤英喜：高齢者に対する総合機能評価の有用性と限界.
日本老年医学会雑誌43（6）：690-692, 2006より

■日常生活動作機能に及ぼす入院の影響

75歳を超えると、入院を契機にBADLが低下する患者が多くなることが、過去のデータで示されている(文献3)。入院によってフレイルに陥る可能性がある。入院が高齢者に及ぼす影響を考慮して、ケアにあたることが大切である。

■IADL

判断力や理解力が関わる高次な活動である。自立した生活を送るためには、できること・できないこと・必要な介助は何かを評価し、自立度を高められるようにケアし、退院支援につなげていくことが大切である。

■手段的日常生活活動（IADL）尺度

	項　　目	採点
A 電話を使用する能力	1. 自分で番号を調べて電話をかけることができる	1
	2. 2〜3のよく知っている番号であればかけることができる	1
	3. 電話には出られるが自分からかけることはできない	1
	4. まったく電話を使用できない	0
B 買い物	1. すべての買い物を自分で行うことができる	1
	2. 少額の買い物は自分で行うことができる	0
	3. 誰かが一緒でないと買い物ができない	0
	4. 全く買い物はできない	0
C 食事の支度	1. 自分で考えてきちんと食事の支度をすることができる	1
	2. 材料が用意されれば適切な食事の支度をすることができる	0
	3. 支度された食事を温めることはできる、あるいは食事を支度することはできるがきちんとした食事をいつも作ることはできない	0
	4. 食事の支度をしてもらう必要がある	0
D 家事	1. 力仕事以外の家事を1人でこなすことができる	1
	2. 皿洗いやベッドの支度などの簡単な家事はできる	1
	3. 簡単な家事はできるが、きちんと清潔さを保つことができない	1
	4. すべての家事に手助けを必要とする	1
	5. まったく家事はできない	0
E 洗濯	1. 自分の洗濯はすべて自分で行うことができる	1
	2. 靴下などの小物の洗濯を行うことはできる	1
	3. 洗濯は他の人にしてもらう必要がある	0
F 交通手段	1. 1人で公共交通機関を利用し、あるいは自家用車で外出することができる	1
	2. 1人でタクシーは利用できるが、その他の公共輸送機関を利用して外出することはできない	1
	3. 付き添いが一緒なら、公共交通機関を利用し外出することができる	1
	4. 付き添いが一緒であれば、タクシーか自家用車で外出することができる	0
	5. まったく外出することができない	0
G 服薬の管理	1. 自分で正しい時に正しい量の薬を飲むことができる	1
	2. 前もって薬が仕分けされていれば、自分で飲むことができる	0
	3. 自分で薬を管理することができない	0
H 金銭管理能力	1. 家計を自分で管理できる（支払計画・実施が出来る、銀行へ行くこと等）	1
	2. 日々の支払いはできるが、預金の出し入れや大きな買い物等では手助けを必要とする	1
	3. 金銭の取り扱いを行うことができない	0

採点は各項目ごとに該当する右端の数値を合計する（0〜8点）。点数が高いほど自立していることを表す。

老年医学会ホームページより
https://www.jpn-geriat-soc.or.jp/tool/pdf/tool_13.pdf?20220218

高齢者の エンド・オブ・ライフケア
～人生の最終段階を支えるケア～

超高齢社会に突入している日本では、
今後ますます高齢者の増加が推測されている。
そのことは同時に、多死社会が進展することでもあり、
エンド・オブ・ライフケアはますます重要な課題といえる。
日本の高齢者が最期を迎えている場所は、
1975年以降8割近くが医療機関である。
しかし、医療機関での受け入れにも限界があること、
また本人の希望を重視するようになることなどから、
今後は医療機関以外の介護施設や自宅で、
人生の終焉を迎える高齢者が増加すると推測されている。
病や老い、遠からず訪れる死への思いを抱きながら生活している高齢者に対して、
日常的に向かい合い、ケアをしている看護職は、
一人ひとりの高齢者が"今"だけではなく"今後"どう生きたいか、また、
どう死を迎えたいかを表明できるように支援することが求められる。
そのために、関係者と調整して、人生の終焉を迎える高齢者を
支えていくことが重要な役割となってきている。

高齢者のエンド・オブ・ライフケア

従来、終末期ケアやターミナルケアという用語が用いられてきたが、最近は、その人が最後までその人らしく生きるために、家族も含めた支援のプロセスを重視する「エンド・オブ・ライフケア」の用語が用いられるようになった。

エンド・オブ・ライフケアの定義 (文献8)

● 診断名、健康状態、年齢にかかわらず、差し迫った死、あるいはいつかは来る死について考える人が、生が終わるときまで最善の生を生きることができるように支援すること

エンド・オブ・ライフケアの実践における意思決定支援や方針決定の流れについては、厚生労働省の「人生の最終段階における医療・ケアの決定プロセスに関するガイドライン」(文献11)を参照されたい。

「人生の最終段階における医療・ケアの決定プロセスに関するガイドライン」における意思決定支援や方針決定の流れ(平成30年版)

人生の最終段階における医療・ケアについては、医師等の医療従事者から本人・家族等へ適切な情報の提供と説明がなされた上で、介護従事者を含む多専門職種からなる医療・ケアチームと十分な話し合いを行い、本人の意思決定を基本として進めること。

心身の状態に応じて意思は変化しうるため繰り返し話し合うこと

主なポイント

本人の人生観や価値観等、できる限り把握
→ 本人の意思が**確認できる**
→ 本人と医療・ケアチームとの合意形成に向けた十分な話し合いを踏まえた、**本人の意思決定が基本**

本人や家族等※と十分に話し合う
→ ・家族等※が本人の意思を推定できる
→ **本人の推定意思を尊重し、本人にとって最善の方針をとる**

本人の意思が**確認できない**

話し合った内容を都度文書にまとめ共有
→ ・家族等※が本人の意思を推定できない
・家族がいない
→ 本人にとって最善の方針を医療・ケアチームで慎重に判断

人生の最終段階における医療・ケアの方針決定

・心身の状態等により医療・ケア内容の決定が困難な場合
・家族等※の中で意見がまとまらないなどの場合等
→複数の専門家で構成する話し合いの場を設置し、方針の検討や助言

※本人が自らの意思を伝えられない状態になる可能性があることから、話し合いに先立ち特定の家族等を自らの意思を推定する者として前もって定めておくことが重要である。
※家族等には広い範囲の人(親しい友人等)を含み、複数人存在することも考えられる。

厚生労働省第199回社会保障審議会介護給付費資料
https://www.mhlw.go.jp/content/12300000/000727135.pdf より引用改変

人生の最終段階における看護職の役割

医療機関だけではなく施設や自宅など、様々な場所で高齢者ケアに携わっている看護職は、今まで以上に高齢者の人生の最終段階に関わる機会が多くなっていくと推測される。

それだけに、高齢者が最期まで、その人らしい人生を送ることができるように支援することが看護職の役割として期待され、エンド・オブ・ライフケアの実践が重要になってきている。

エンド・オブ・ライフケアで大切な意思決定支援の3本柱 (文献8)

①本人の意思(現在・過去・未来)　　②家族の意向　　③医学的判断

※本人の意思が最も尊重されるべきである。

看護職による支援の視点 (文献13)

● 患者・家族の話を傾聴して状況を理解し、受け止められるように必要な情報を提供する。
● 理解状況に合わせて情報提供の方法、言葉遣いを工夫する。
● 状況に応じて、様子を観察しながら段階的に情報提供する。
● 理解状況を確認する。
● 適宜、多職種で共有する。
● 状況が変化した場合は、家族が受け止められるように説明し、支援する。

支援を心がけたい場面

慢性疾患を抱えながら症状や全身状態が増悪していく高齢者、脳卒中や心疾患などにより繰り返し病床に就く高齢者、老衰で徐々に衰弱していく高齢者など、その人その人によって、必要とされるケアの内容や、予想される期間や場所は異なる。

エンド・オブ・ライフケアは、その人の最善を考え、その人の意思決定を尊重し支援するケアであるべきことを基本姿勢に置きながら、揺れ動き移ろいやすい心情を理解し、患者や家族を関係者で支え高齢者の最終段階を支える継続的なケアといえる。

その中で、特に右記の場面では、本人・家族共に精神的に揺れ動くことが多いと推測されるため、支援を心がけたい。

特に支援を心掛けたい場面

● 在宅や施設からの入院当初
● 診断の告知や検査結果の説明時
● 治療が変更、中断した時
● 病状が悪化した時
● 家族や友人、知人の環境が変化した時
● 病院を退院し、自宅や施設に移動になる時

アドバンス・ケア・プランニング(ACP)

様々な経緯をたどりながらも人生の最終段階を迎えるにあたり、その人が望む生き方を全うできるように支援していくための有用な手段の一つとして、アドバンス・ケア・プランニング（Advance Care Planning：ACP）がある。ACPは、あらかじめ万が一に備えて、その人が人生の最終段階において、どのような医療やケアを望んでいるかについて、本人の意思決定を基本として、家族、本人が信頼する人や医療・介護従事者が話し合うプロセスのことである。

アドバンス・ケア・プランニング(ACP)の定義 (文献8)

● 将来の意思決定能力の低下に備えて、今後の治療・ケア・療養に関する意向、代理意思決定者などについて、価値観や選好を共有すべく、患者・家族、そして医療者があらかじめ話し合うプロセス

ACPの意義～自分らしく生きるためのプロセス～

● ACPは、自分が人生の最期に受ける医療やケアについて、前もって考えておくことである。
● 死に方を考えることは、生き方を考えることにもなる。
● 「どのように生きていきたいか」「自分らしく生きるとは何か」を考えることが、最後まで自分らしく生きることにつながる。
● ACPは人生最期のことを考えているようでありながら、今をどう生きるか考えている。

人生のどの時期であっても自分らしく生きること、そのプロセスがACP

POINT
話し合う内容 (文献9)

■ 現在の病状（直面している、または推定される状態）と今後の見通しのもと治療・ケア・療養など医療に関すること
■ 本人の気がかり、価値観や希望、どのように生きたいかという人生および生活の意向
■ 本人の死後に家族に望むことなど。

「エンド・オブ・ライフケア委員会」の活動例

エンド・オブ・ライフケアやACPの実践においては、それぞれの組織で、それぞれの状況に応じた取り組みが求められる。ここでは、参考に、東京都健康長寿医療センターにて各病棟の担当看護師により運営されている、エンド・オブ・ライフケア委員会の活動を紹介する。

東京都健康長寿医療センターの取り組み

様々な疾患を対象に事例検討を行い、看護職をはじめ患者に関わる職員のエンド・オブ・ライフケアおよびACPの実践の報告を通して、支援の向上に取り組んでいる。事例検討を積み重ねることで、職員への知識の普及やチーム全体での支援に向けた対応の広がりにつながっている。
また、ACPはプロセスであり決定ではないことを念頭に置き、揺れ動く心境に配慮し、医療や介護の希望について、一度決めたことでもいつでも変更できることを患者・家族、医療関係者に周知しながら、その人の今を生きる最善に向けて支援することに取り組んでいる。

様々な状況で患者の想いを聴き、
健康状態に応じて、
その人らしく生きることを
支える

POINT

ACPに求められる姿勢

■ 丁寧な言葉と穏やかな表情での対応。

■ 自分の聴きたいことではなく、相手が話したいことを優先する。

■ 相手の感情の変化を見逃さない。

■ 辛そうな表情や反応が見られたら、打ち切ることも考える。

■ 相手に会話を強要しない。

■ 考えたくない、話したくない権利があることを念頭に置く。

■ 励ましや説明は、時に傷つける場合もあることを念頭に置く。

■ 相手に威圧感を与えないコミュニケーションに努める。

委員会の目標

その人それぞれの望みを知り、その人が今をどう生きるかを実現するための支援をする。

活動内容

- 患者とその家族の苦痛をいち早く察知し、適切なケアを提供する。
- エンド・オブ・ライフケアに関するスタッフへの相談、実践を行う。
- 緩和ケアチームのサポートメンバーであることを意識し、病棟と緩和ケアチームの橋渡しを行う。
- 各部署におけるエンド・オブ・ライフケアの知識向上に貢献する。

看護師のACPへの関わり

【日常の生活ケアでの対話時】
- 言動や表情を観察しながら、普段の生活やこれまでの経験を聴く。

【退院支援を行うための情報収集や話し合いの場】
- これからの生活の希望や目標を患者と共有する。
- 実現に向けてチームで意思決定を支援する。

【病状説明に同席した時】
- 患者や家族の想いや気がかりを傾聴する。
- 不安な気持ちに寄り添い、意思決定を支援する。

記録例

- 受けた説明内容と病状の受け止め方
- 気がかりに思っていること
- 心配なことや不安に思っていること
- 受けたい医療や受けたくない医療
- 退院後の希望や目標、支えにしていること
- 希望する療養場所
- 家族への想い　など

ACPはプロセスが重要であり、本人と家族、医療関係者の話し合いのプロセスを通して、患者本人にとって最善とは何かを考え、相互に理解していくことである。看護師は本人の気持ちに寄り添う姿勢で、三者による "最善の生" の実現に向けて意思決定を支援していく。

今の生き方を支えることが医療・ケア提供者の役割！

ACPサイクル

ACPは、1サイクルで終了するのではなく、状況の変化に応じて変わる患者の思いや希望をその都度受け止めながら、患者とその家族や友人、医療関係者と患者の思いを共有するプロセスを繰り返すことが重要である。

患者

1.考えてみる

● 大事にしたいことは何か
● 続けたいことは何か
● 受けたい医療・介護は何か
● 誰とどこで過ごしたいか
　 など

看護師〈担当スタッフ〉

患者と話す

● きっかけを作り、無理強いすることなく患者が自分の思いを言葉にできるように働きかける

考えは変わる

一度決めたことでも考えは変わることを前提に、このサイクルを繰り返す。患者は自己の最善を考えて、看護師・担当スタッフはそれを支援していく

患者

2.信頼できる人に話す

● 希望や願いを家族や友人・知人など信頼できる人に話してみる

患者

3.共有して残す

〜記入するノート作成・活用〜

● 希望すること、希望しないこと、考えたことや話し合ったことを書き留めておく
● 家族や周りの人達への感謝の気持ち等も記入する

※状況や気持ち、考え方が変わったとき、その都度気持ちや話し合った内容を書き留めておく

看護師〈担当スタッフ〉

思いを受け止める

● 変化する状況や気持ちを支える
● 状況や気持ちの変化に応じて支援方法を考える

看護師〈担当スタッフ〉

思いを伝えることの提案

● 信頼できる人に自分の思いや考えを話してみることを提案する
● 本人が望めば、該当者と連絡をとり、状況を説明しておく
● 話した後の状況を把握し、支える

東京都福祉保健局医療政策部医療政策課編集・発行：「わたしの思い手帳」〜かんたん！ ACPサイクル〜.p.34. を参考に筆者作成

CHAPTER 3

高齢者ケアの実際

食事・栄養のケア

食事の援助

認知症高齢者への食事援助

胃瘻栄養法

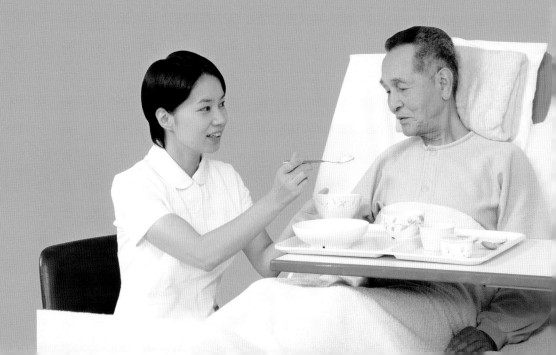

食事の援助

高齢者は食べる能力、咀嚼・嚥下する能力、消化機能などが衰え、
摂取エネルギー不足による低栄養を招くことがある。
同時に、複数の疾患や合併症を伴うことが多く、
治療のための薬物の影響にも注意が必要である。
また、低栄養はフレイルの大きな要因の一つとなる。
高齢者一人ひとりの個別性を十分に把握し、食事・栄養摂取における
問題点をとらえ、改善に向けて援助を行うことが大切である。

食事・栄養摂取における高齢者の特徴

- "食べることは健康を維持するバロメーター"ととらえる高齢者が多い。

- 食事をおいしく楽しく摂取することは、高齢者のADLの維持・拡大となり、QOL向上につながる。

- 高齢者の食生活は、長い人生の中で培われている。個々の食事内容・方法・嗜好には個人差があり、これまでの食習慣を尊重する必要がある。

- 唾液分泌が減少し、歯牙の欠損や咀嚼筋の萎縮により咀嚼困難になり、食欲・摂食に大きな影響を受けることがある。

- 喉頭が十分挙上しないことから、喉頭蓋反転が不十分となり、むせや嚥下困難が生じやすい。

- 味覚の低下により食欲が低下したり、視力低下により食事内容が見えづらかったり、片麻痺で摂食行動がとりにくいなど、摂食障害を起こしやすい状況にある。

- 咽頭クリアランスが低下しており、嚥下後に喉頭蓋谷や梨状陥凹に食塊の残留を認めることがある。

- 自覚症状がなくても、嚥下障害を起こしている可能性がある。

STUDY　摂食嚥下のプロセス　1-1

摂食嚥下は、食物を認知し、咀嚼嚥下して咽頭から食道、胃へと送り込む一連のプロセスで成り立っている。摂食嚥下に障害がある場合、このプロセスのどこに問題があるのかを分析する必要がある。

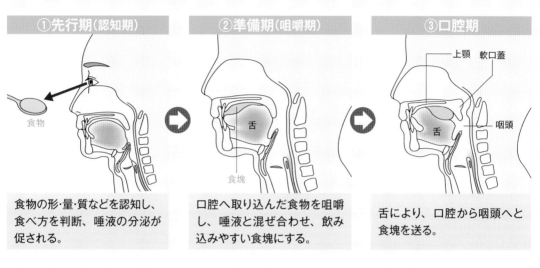

①先行期（認知期）
食物の形・量・質などを認知し、食べ方を判断、唾液の分泌が促される。

②準備期（咀嚼期）
口腔へ取り込んだ食物を咀嚼し、唾液と混ぜ合わせ、飲み込みやすい食塊にする。

③口腔期
舌により、口腔から咽頭へと食塊を送る。

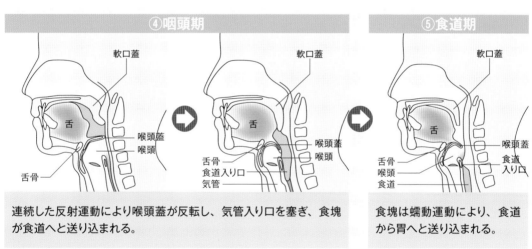

④咽頭期
連続した反射運動により喉頭蓋が反転し、気管入り口を塞ぎ、食塊が食道へと送り込まれる。

⑤食道期
食塊は蠕動運動により、食道から胃へと送り込まれる。

STUDY　人間の進化と誤嚥

人間は進化の過程で脳が前面にせり出し、喉頭が下がり、咽頭腔が大きく（広く）なったことで構音機能が発達した（文献13）。
その結果、空気と飲食物が咽頭で交差するという複雑な構造になり、誤嚥しやすい状態ができあがった。
咽喉頭部の構造自体が嚥下障害につながりやすいことに、留意する必要がある。

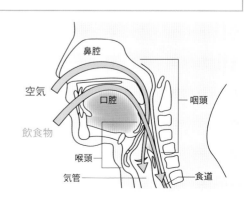

CHECK! 高齢者に多い食事の問題

高齢者は認知力、咀嚼・嚥下機能、さらに味覚・嗅覚・視力の低下などにより、十分に食事を摂取できない場合がある。
どこに問題があるのかをアセスメントし、適切な援助を行うことが大切である。

摂食嚥下障害の主な症状

- 食物を認知できない。
- 食物を口腔内に取り込めない。
- 食物を唾液と混ぜ合わせることができない。
- 嚥下前・中・後にむせる。
- 食事の終了間際、または終了直後に頻回にむせる。
- 肺炎を繰り返す。
- 原因不明の体重減少がある。
- 嚥下後、食事の終了間際、終了直後に湿性嗄声やガラガラ声がある。咽頭・気管分泌物が増加する。
- 患者が飲み込みにくいと訴える。
- 認知症や高次脳機能障害（注意障害など）をもつ場合は、食物を口に運ぶ量のコントロールができないことがある（一口量が多い、次々と口の中に食物を運んでしまうなど、一回の嚥下許容量を超えてしまう）。

食事にかかわる問題

- 認知力・注意力の低下
- 食事意欲の低下
- 関節拘縮、筋力低下
- 唾液分泌量の低下
- 歯牙の欠損、義歯不適合、口腔内トラブル
- 喉頭の低位化
- 複数の薬物内服による影響
- 消化・吸収力の低下
- 味覚・嗅覚の低下
- 視力低下（白内障）
- 不顕性誤嚥（サイレントアスピレーション）
- 咳嗽反射の低下
- 嚥下反射の遅延

摂食嚥下障害への対応策

食事を摂る前に、まずは患者がしっかりと覚醒していることを確認する。

味覚・嗅覚を刺激

- 食事時の表情や言動から好みの味を把握し、食事内容を工夫する。

視覚を刺激

- 食物と器の色のコントラストをはっきりさせ、食事内容がみえるようにする。

摂食嚥下への配慮

- 食事に集中できる環境を整える。
- 箸・スプーンなど適切な食具を選択する。
- 摂食ペースに配慮する。
- 嚥下機能に応じた食形態・食事姿勢を整える。
- 嚥下体操や間接訓練により誤嚥を防止する。
- 摂食により疲労を認める場合は、時間を決めて時間内に食べられるように支援する。

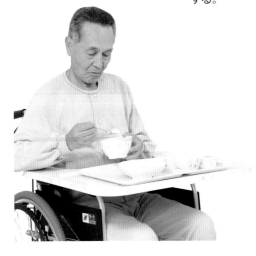

注意! 不顕性誤嚥に注意!

高齢者には、むせなどの症状がない不顕性誤嚥がみられる場合がある。摂食嚥下機能の低下、複数の薬物内服の影響により起こると考えられる。窒息・肺炎など全身状態に影響を及ぼすため、注意が必要である。
痰の増加、体温上昇、元気がないなどの症状を観察する。常に、食欲低下・体重減少など、「いつもと違う」ことに気づき、全身状態をアセスメントする視点が重要である。

食事の介助

食事の介助においては、高齢者が誤嚥することのないように体位を整え、看護師が適切な位置から介助を行うことが最も重要である。

PROCESS **1** 　**体位を整える**　　1-2

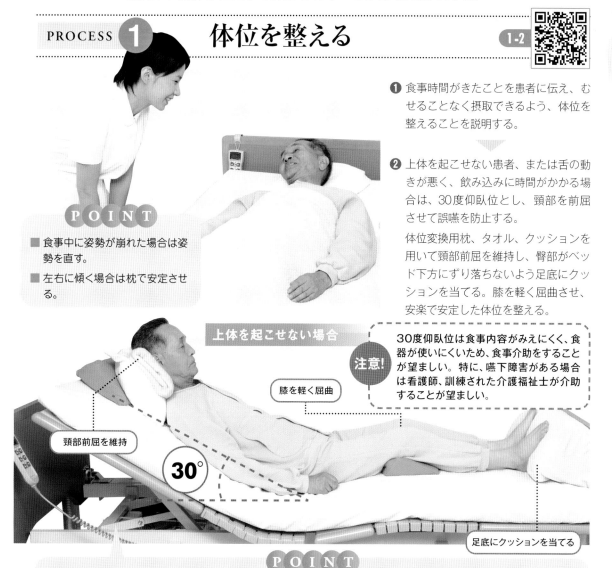

POINT

■ 食事中に姿勢が崩れた場合は姿勢を直す。
■ 左右に傾く場合は枕で安定させる。

❶ 食事時間がきたことを患者に伝え、むせることなく摂取できるよう、体位を整えることを説明する。

❷ 上体を起こせない患者、または舌の動きが悪く、飲み込みに時間がかかる場合は、30度仰臥位とし、頸部を前屈させて誤嚥を防止する。

体位変換用枕、タオル、クッションを用いて頸部前屈を維持し、臀部がベッド下方にずり落ちないよう足底にクッションを当てる。膝を軽く屈曲させ、安楽で安定した体位を整える。

上体を起こせない場合

頸部前屈を維持

30°

膝を軽く屈曲

注意! 30度仰臥位は食事内容がみえにくく、食器が使いにくいため、食事介助をすることが望ましい。特に、嚥下障害がある場合は看護師、訓練された介護福祉士が介助することが望ましい。

足底にクッションを当てる

POINT

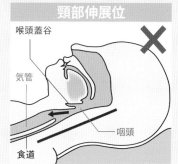

頸部伸展位

喉頭蓋谷
気管
咽頭
食道

✕

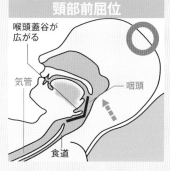

頸部前屈位

喉頭蓋谷が広がる
気管
咽頭
食道

◯

頸部前屈位で誤嚥を防止!

■ 頸部伸展位は咽頭と気管が直線になり、誤嚥しやすい。
■ 頸部前屈位は咽頭と気管に角度がつき、誤嚥しにくい。
さらに、喉頭蓋谷が広がり、食塊と粘膜の接触面積が広くなり、嚥下反射が起きやすい。

PROCESS **2** 食事を介助する（座位の場合）

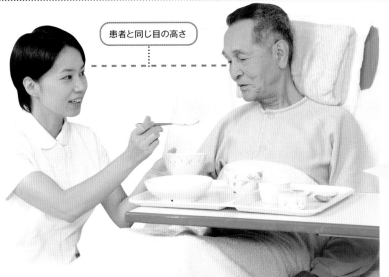

患者と同じ目の高さ

❶ 介助者は患者と目線を合わせて低い位置に座り、患者が自然に頸部前屈位となるよう留意する。

P O I N T
頸部前屈位を維持
■ 患者の体位を整えても、介助者の座る位置が高く、頸部前屈位が維持できなければ、誤嚥の可能性が高まる。

❷ 患者が食物を認識してから、食物を口に運ぶ。スプーンは患者の口にあごが上がらないように差し入れる。1回に口に入れる分量は、多すぎないよう注意する。

あごが上がらないように入れる

P O I N T
1回の分量
■ 1回に口に入れる分量は2～3g程度の小さじから開始し、まず嚥下の状態を確認するとよい。

❸ スプーンを患者の口に入れ、患者が口唇を閉じたら、あごを上げない程度に自然にスプーンを引き抜く。

P O I N T
口唇を閉じてから
■ 患者がしっかりと口唇を閉じたことを確認して、スプーンを引き抜く。

あごが上がらないように引き抜く

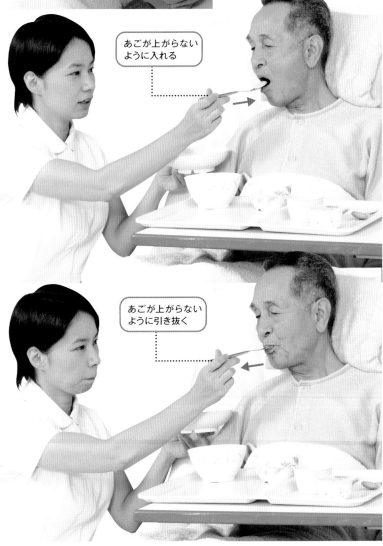

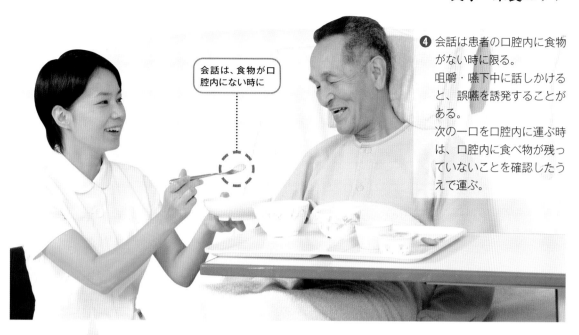

④ 会話は患者の口腔内に食物がない時に限る。

咀嚼・嚥下中に話しかけると、誤嚥を誘発することがある。

次の一口を口腔内に運ぶ時は、口腔内に食べ物が残っていないことを確認したうえで運ぶ。

会話は、食物が口腔内にない時に

CHAPTER **3** 食事の援助

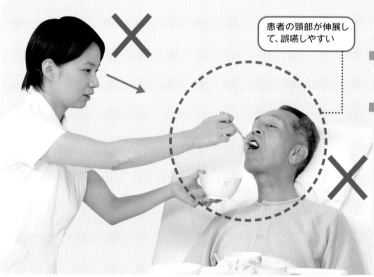

患者の頸部が伸展して、誤嚥しやすい

POINT

患者を見下ろす介助は禁忌！

■ 患者より高い位置からの食事介助は禁忌。患者が見上げることになり、頸部が伸展して誤嚥につながる。

■ 上からスプーンを口腔に挿入すると、食物を前歯・上口唇でこすりとることになり、患者の頭部が上を向いてしまうため、誤嚥しやすい。

POINT

嚥下状態に応じた食事

■ 患者の嚥下障害の状態に応じた食事を用意することが大切。

■ 日本摂食嚥下リハビリテーション学会が公表している、「嚥下調整食学会分類2021」(文献14) を活用するとよい。

【献立例：ゼリー食】

● 粥ゼリー（粥をゼリー状に緩く固める：口腔内のべたつき感軽減）
● 鶏肉の照り焼きゼリー
● 温野菜ゼリー

おいしい！飲み込みやすい！

温野菜ゼリー　　粥ゼリー

鶏肉の照り焼きゼリー

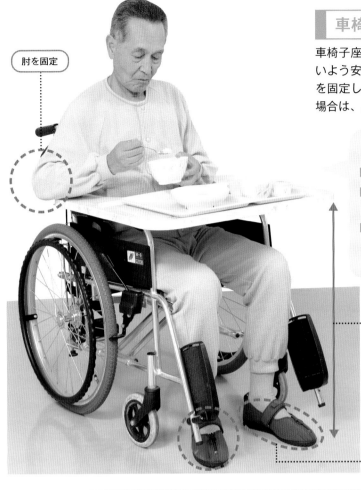

肘を固定

車椅子での食事

車椅子座位で食事をとる場合は、体幹が傾かないよう安定させ、テーブルの高さを調整して肘を固定し、足底を床に着ける。足底が着かない場合は、足台を用いて調整する。

POINT
姿勢のポイント

■ 体幹をクッションなどで安定させる。

■ 上肢が自由に動くようテーブルの高さを調整、肘をテーブルにつけて固定する。

■ 股関節・膝関節を屈曲させ、足底を床に着ける。足底が着かない場合は足台で調整する。

テーブルの高さを調整

足底を床に着ける

PROCESS 3 食後の安楽な体位 1-4

食後は口腔ケアを行い、食事時と同様の姿勢で1～2時間過ごすのが望ましい。しかし、疲労により臥床する場合は、次に示すような体位で休息し、胃・食道逆流や誤嚥を防止する。

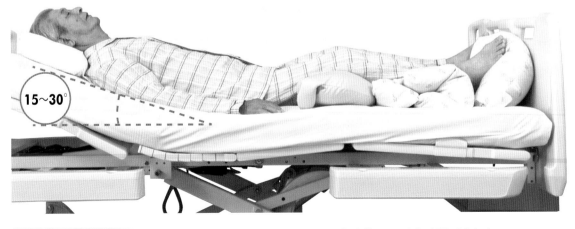

15～30°

セミファーラー位

上半身を15～30度起こした仰臥位で30分程度過ごすとよい。
膝下に枕を入れて軽く屈曲させ、足底にクッションを当てて安定させる。

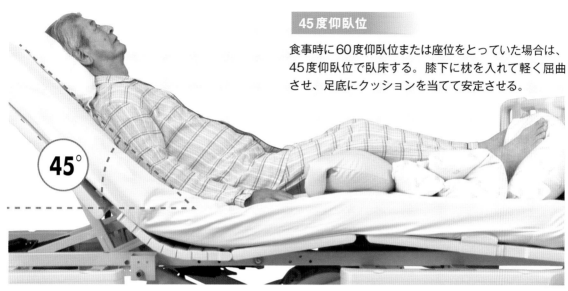

45度仰臥位

食事時に60度仰臥位または座位をとっていた場合は、45度仰臥位で臥床する。膝下に枕を入れて軽く屈曲させ、足底にクッションを当てて安定させる。

45°

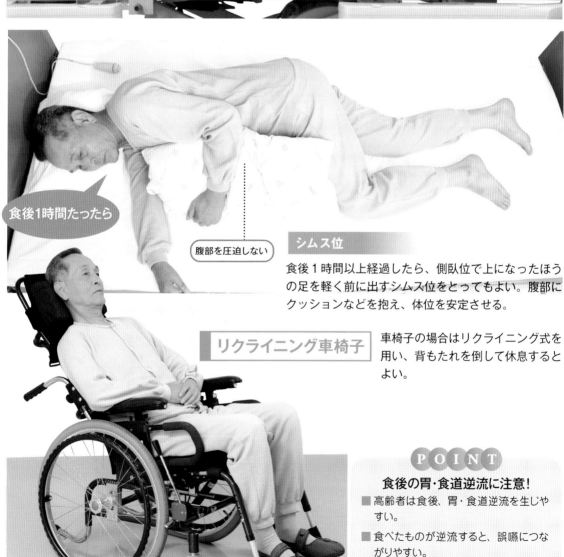

食後1時間たったら

腹部を圧迫しない

シムス位

食後1時間以上経過したら、側臥位で上になったほうの足を軽く前に出すシムス位をとってもよい。腹部にクッションなどを抱え、体位を安定させる。

リクライニング車椅子 車椅子の場合はリクライニング式を用い、背もたれを倒して休息するとよい。

POINT

食後の胃・食道逆流に注意！

■ 高齢者は食後、胃・食道逆流を生じやすい。

■ 食べたものが逆流すると、誤嚥につながりやすい。

■ 食後の休息は、胃・食道逆流を起こしにくい体位とすることが重要である。

高齢者の口腔ケア

口腔の清潔と歯牙・義歯の管理

口腔内は連鎖球菌（*Streptococcus*属）や
ブドウ球菌（*Staphylococcus*属）などの常在菌が多く、
自浄作用が低下した高齢者には口腔ケアが大切である。
口腔内の菌量を減少させることにより、う歯や誤嚥性肺炎の予防につながる。

毎日の口腔ケア

● 歯磨き、うがい、口腔清拭などの口腔ケアは、起床時・就寝前と食後に行う。

● 義歯は必ず外して洗い、歯垢や歯石を取り除いて口臭・口内炎を予防する。

歯牙・義歯の管理

● 歯牙・義歯の状況は、入院時に必ず確認し、だれがどのように管理するのかを決定する。義歯は就寝時に外し、乾燥してひび割れしないように洗ってから水に浸し、専用ケースに入れて保管する。

● 意識障害があったり、自分で口腔管理ができない場合は、看護師が毎日口腔内のチェックを行う。

P O I N T

歯牙・補填物の誤飲・誤嚥に注意！

■ 意識障害、口腔・咽頭の知覚・運動障害がある患者では、脱落した歯牙や補填物を誤飲・誤嚥する場合があるので注意する。

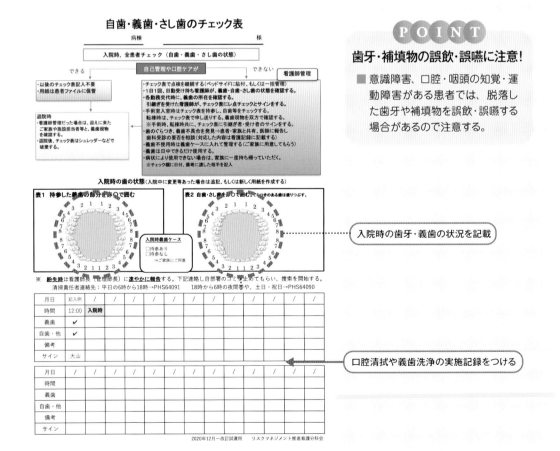

認知症高齢者
への食事援助

「食べること」は生命を維持するだけでなく、「楽しみ」であると同時に、
他者とのコミュニケーションのきっかけとなる役割も果たす。
認知症高齢者にとっても、それは同様である。
認知症が進行するにつれ、「食べる」機能は失われていくが、
認知症高齢者が「食べなくなる」要因はさまざまである。
認知症のある高齢者の立場から「食べる」ことを考え、
観察・ケアのポイントを探っていく。

認知症高齢者の摂食困難

- 認知症患者にみられる摂食困難とは、失認・失行などの知的機能障害によって、自発的に食べることが難しくなり、体内への食物の取り込みが減少することをいう（文献8）。

- 認知症の進行に伴い「食べる」行為は、自立から援助の必要な状態、他者への依存段階へと移行していく。

- 自立度の低下に伴い、摂食・嚥下機能も低下していく。

- 認知症患者は、すべての場面において身体症状や環境の影響を受けやすい。摂食・嚥下機能や認知機能だけでなく、加齢や食事を取り巻く環境を統合したアセスメントが必要である。

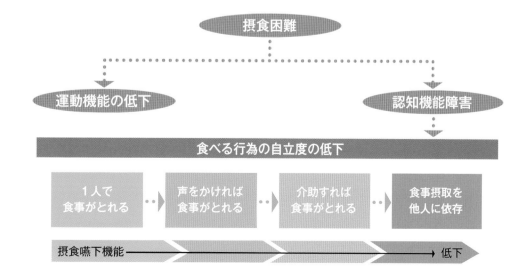

CASE **1** 食事に手をつけようとしない 1-5

認知症高齢者が食事に手をつけようとしない場合は、
まず、失認・失行の状態をアセスメントする。

ASSESSMENT **1** 失認の状態はどうか？

失認とは、感覚機能が正常であるにもかかわらず、物体を認知できない状態である。目の前に食物があるにもかかわらず、食べる対象として認知できない。「失認があるのか？」だけでなく、「認識はできているが、食べる意欲はあるのか？ 眠気はないか？ 食事が見えているか？ 体調はどうか？」なども観察する。食事に手を出さないからといって、すぐに失認があるという判断をくださないことが大切である。

観察・ケアのポイント

食事を認識しているか？

出された食事に興味を示しているか、表情や言動を観察する。

食事を認識するきっかけ作り

食器や箸、スプーンを手に持つよう援助したり、食物の香りをかいでもらうことで、食事だと認識するきっかけを作る。

みそのいい香りがしますね

視線に入る位置に皿を移動させる

タイミングをはかり、「○○はいかがですか」と声をかけながら、さりげなく視界に入る位置に皿を移動させる。

煮魚はいかがですか？

視覚を刺激

食器と食物のコントラストをはっきりさせる、白いご飯にふりかけをかけるなどの工夫が必要である。白い食器に白いご飯は、健康な高齢者でも見えにくい。

最初の数回は介助する

最初の数回は介助し、感覚・知覚を刺激すると、食物であることを認知し、食べ始めることがある。

P O I N T

白い食器に白いご飯？

■ 濃い色の茶碗に替えることができない場合は、ふりかけをかけるなどの工夫を！

ASSESSMENT **2** 失行の状態はどうか？

失行とは運動機能が正常であるにもかかわらず、動作を遂行することができない状態である。

食事を前にしても箸やスプーンの使い方、食べ方がわからない。「箸やスプーンの使い方が間違っていないか？」「使い方がわからなくなっていないか？」「一度手にとった箸やスプーンをすぐに置いてしまわないか？」などをアセスメントする。

CHAPTER **3** 認知症高齢者への食事援助

観察・ケアのポイント

箸やスプーンを持つよう勧める

箸やスプーンを持つよう繰り返し勧めることで、それがきっかけとなり使い始める場合がある。

使い慣れた食器を使用

家庭で使い慣れた食器に盛り付けることで、食事を認識できる場合がある。

箸やスプーンを持つ手を介助

認知症高齢者が箸やスプーンを持つ手に、看護師が手を添え、食べる動作を一緒に行うことで、自力で摂取できる場合がある。

他者と食卓を囲む

他者と同席して食卓を囲むことで、その様子を見て、箸やスプーンを手に取ったり、食事を始めることがある。

P O I N T

スプーンより箸を！

■ 認知症が重度になりスプーンを使えなくなっても、箸を上手に使う高齢者は多い。

■ 認知症高齢者にとって箸を使う記憶（手続き記憶）は、体に染み付いている。記憶の中でも手続き記憶は障害されにくい。

■ 認知症高齢者の持てる力である「箸」をできるだけ使用する。

CASE 2 食事を途中でやめてしまう

認知症高齢者が食事を途中でやめてしまう場合は、
注意障害の状態をアセスメントする。

ASSESSMENT 注意障害の状態はどうか？

注意障害とは周囲の雑音や物、人などに注意をひかれ、1つのことに集中できない状態である。

食事中、周囲の音やにおい、物や人に注意がそがれ、食事に専念できない。その人にとって「注意障害を引き起こす環境要因は何か？」をアセスメントし、環境調整を行うことが必要である。

観察・ケアのポイント

食欲をそそる心地よい刺激

食欲をそそるおいしそうな香り、食事を引き立たせる食器など、五感に働きかける心地よい刺激を大切にして、食事への興味をかきたてる。

また、偏食や味付けへのこだわりが強い場合は、医師に相談して、調味料を使用することも検討してみる。

食事中の言葉かけも大切

認知症高齢者の食事への注意がそがれてきた時に、「今日は○○がおいしそうですね」など声をかけ、食べることに関心を向けてもらう。

疲れが見えたら休憩

少し休憩した後、新たに箸を持ってもらうと、食べられることもある。

周囲からの刺激を少なく

静かな場所で食事をする、テーブル上に置くものを制限するなど、食事に集中できるよう周囲からの刺激を少なくする。

POINT
睡眠障害に注意！

- 夜間の睡眠障害により、食事中に眠気がおそい、食事に集中できないことがある。
- 睡眠状態を併せて観察し、アセスメントする。

CASE 3 口を開こうとしない 1-7

認知症高齢者が食事の際に口を開こうとしない場合は、
失認の状態、身体症状、ストレスなどをアセスメントする。

ASSESSMENT 失認・身体症状・ストレスはどうか？

「食事という認識がないのか？」「意図して開口しないのか？」をアセスメント
する必要がある。意識障害がある場合は、背後に重篤な疾患が隠されている
可能性があるため、早期に原因を突き止める。
また、嘔気・疼痛・倦怠感などの身体症状が原因である場合も、十分に考え
られる。
さらに、過去の食事介助の際、嫌いな食物を勧められたり、無理やり食べさ
せられ嫌な思いをしたストレスから、口を開きたくないというケースもある。

観察・ケアの
ポイント

失認―食物を認識してもらう

失認の場合は、好物を見て香りをかいでもらったり、口唇に軽
く当てるなど、食物を認識できるようアプローチする。

唇に刺激を与える

水に浸した綿棒を唇につけてみると、口を開けることがある。

過去のケアを振り返る

その場だけの情報で判断せず、過去のケアを振り
返り、患者の反応を思い出すことも大切である。
食事を混ぜて食べさせようとしたり、食物に薬を
混ぜたり、無理やり口に押し込もうとするなどの
ケアが、認知症高齢者のストレスとなっているこ
とがある。

POINT

疾患を見逃さないよう注意！

■ 高齢者は身体の防衛力・予備力・適応力・回復力が変化し、防衛力の低下から疾患の
典型症状が出にくい。

■ 身体症状と背後にある疾患を見逃さないよう注意する。

口輪筋のマッサージ

■ 手で口輪筋周囲をマッサージすると緊張がほぐれ、口を開けることがある。

■ 声をかけながらリラックスした雰囲気で行う。

■ 触られるのを嫌う人もいるため、嫌がるようなら無理に行わない。

CASE 4 「食べていない」と何度も訴える 1-8

「食べていない」という認知症高齢者の訴えは、記憶障害に起因する。
お腹を満たすより、気持ちを満たすケアが大切である。

ASSESSMENT 体験全体が消失？

食事をした後、「食べていない」と何度も訴えてくる症状は、
アルツハイマー型認知症患者に多く、近時記憶の障害によるものである。
加齢による記憶障害とは異なり、体験全体が記憶として貯蔵されなくな
ることが特徴である。
認知症高齢者が「食べていない」と言う背景には、それぞれの段階がある。
「どうだったかな？」と疑問に思いながら訴えているのか、
「食べていない」と完全に思っているのかにより、かかわりは異なる。

観察・ケアの
ポイント

「食べていない」気持ちを満たすケア

「食べたのかな？」と疑問に思いながら訴えてきた場合は、まずは食べたことを話してみる。
「食べていない」と完全に思い込んでいる場合は、説得せず、本人の気持ちを尊重する。「今ご飯を作っ
ていますので、もう少し待ってください」とおやつや軽食を勧める。お腹を満たすより、「私はご飯を
食べていない」という認知症高齢者の気持ちを満たすケアを行う。

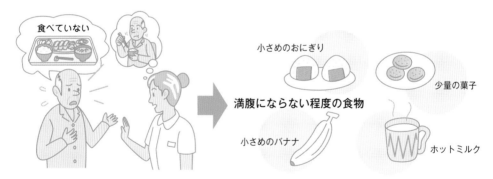

POINT

気持ちを満たすケアとは？

■ 認知症高齢者が「食べていない」
と訴えた時に、すぐにおやつや軽
食を勧めるのではなく、訴えの背
後にある思いをアセスメントする。

■ おやつや軽食を勧める際も、ゆっ
たりとした時間を作るようにし、
お腹と心の満足感が得られるよ
う配慮する。

あったかい
おいしい

CASE **5** 食事摂取量が少ない、食べない

認知症高齢者は意欲・関心が減退し、活動性の低下、食欲不振という悪循環に陥る場合がある。身体症状とともにこうしたサイクルがないかアセスメントする。

ASSESSMENT 意欲・関心の減退はないか？

認知症高齢者の食欲不振の要因として、意欲・関心の減退がある。これに入院や夏ばてなどの身体的負荷が加わり、食べる気持ちが薄れ、体調が回復せず、さらに食欲が低下する。

食べない→体調不良→動くのがおっくうになる→さらに食欲低下という悪循環となる。こうなると、心身の活動性はさらに低下する。

観察・ケアの
ポイント

悪循環を断ち切るケア

悪循環を断ち切るには、できるだけ早期に回復するよう医師に相談すること、生活リズムを整えることが必要である。
さらに、認知症高齢者のできる部分、できない部分を見極め、できる部分を維持するかかわりを行う。

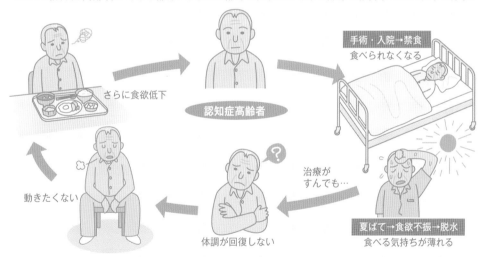

さらに食欲低下

認知症高齢者

手術・入院→禁食
食べられなくなる

治療が
すんでも…

動きたくない

体調が回復しない

夏ばて→食欲不振→脱水
食べる気持ちが薄れる

POINT

最低限の栄養を摂取できるように工夫

■栄養補助食品を有効活用する。

■食事摂取量の減少による体力の低下を少しでも予防するために、少量でも栄養価の高い栄養補助食品を勧めてみる。

生活リズムを整えることが必要

■起床から就寝までの1日の生活リズムを整え、「動くのがおっくうになる→食欲低下」という悪循環を断ち切る。

■認知症高齢者のできる部分を認め、日中の活動性を高めるかかわりを行う。

■新たな身体症状の出現はないかという視点も忘れない。

■認知症高齢者の摂食困難への基本的対応

	基本的対応	EVIDENCE
食物認知・摂食能力を助ける環境作り	**なじみの食器・食べ慣れた味を使用**	なじみの物、食べ慣れた味は認知症高齢者の手続き記憶に染み付いている。
	食卓の高さを調整し、食事姿勢を整える ● おかずやご飯が見えるようにする。 ● 自由に上肢を動かし、箸やスプーンが使えるようにする。	食卓が高いと食事内容が見えず、同時に箸やスプーンを使う際に上肢に無理がかかり、疲労して摂食中断に至る。
	食事の環境作り ● 他者と食卓を囲み、摂食行為をみることで視覚的な刺激を受け、摂食行為ができる場合がある。 ● 気の合った仲間で食卓を囲む雰囲気を感じられるようコーディネートする。 ● 注意障害が激しく、食事に集中できない場合は静かな環境を設定する。 ● 五感に心地よい環境刺激を活用する。 ● ケアをする人々も認知症高齢者を取り巻く環境の一部であることを認識する。	環境が整っていないことが、認知症高齢者の食べにくさを増強させる。 援助者の存在、考え方、言動、かかわり方や物理的・社会的環境といった「ケア環境」を整えることが重要である。 ケア環境は認知症高齢者に直接影響を及ぼす点から、特に重要である。
摂食能力を引き出す支援	**できない部分を支援する** ● 食物をスプーンですくえないが、口に運ぶことはできたり、コップを持って水分を摂ることができるなど、何ができて何ができないのかを見極め、できない部分をさりげなく補って援助する。 例：スプーンですくう部分に手を添える 例：スプーンを口に運ぶ際に手を添える	認知症高齢者が自分の手を動かして食べる感覚を大切にすることが重要であり、自立的な動作を尊重することが食べる意欲にもつながる。 全介助は認知症高齢者の持てる力を奪う。 また、できない部分を頑張らせることは、認知症高齢者に能力低下を指し示すことになり、意欲低下・摂食困難の増悪につながる。
	加齢・認知症の身体への影響を観察 ● 口腔の観察を行い、清潔を保つ。 ● 咀嚼・嚥下のアセスメントを行い、必要に応じて食形態を検討する。	認知症高齢者は認知症の進行に加え、加齢による影響もあるため、持てる力を維持できるよう観察を怠らない。
	他の身体疾患との関連をアセスメント ● 摂食困難が認知症の進行によるものと決め付けず、身体疾患の悪化はないか、新たな疾患の可能性はないかを念頭におく。	認知症高齢者は疼痛や倦怠感などの身体症状を適切に表現することが困難な場合が多い。 身体疾患を見逃さないよう、変化をいち早く察知し、あらゆる方面からアセスメントする必要がある。

CHECK! そのほかの摂食障害について

食事の過剰摂取

● 認知症高齢者が食事を過剰に摂取する原因はさまざまである。認知症の行動・心理症状（BPSD）としてとらえられることが多いが、その背後にあるものに目を向ける必要がある。
例えば、何らかのストレスがある、人との交流や刺激がなく寂しい、不眠などが過食の引き金となる。

● 過剰摂取という症状だけにとらわれ、「食物を隠す」といった対応は第一選択ではない。人とのかかわりや気分転換を促して食事に向かう気持ちをそらしたり、不眠の場合は睡眠を確保するケアを行う。
寂しい気持ちに寄り添い、認知症の高齢者その人に関心を向けていることを伝えるよう心がける。

異食とは

● 異食とは、食物以外のものを食べてしまうことである。認知症が進行すると、食物とそれ以外の物の区別がつかなくなり、身近にある食物に似た形状の物を口に入れてしまう傾向がある。

● 異食は生命に危険を及ぼす可能性があるため、環境を整えることが重要である。認知症の人すべてが異食をするとは限らないが、
日頃からの観察が必要である。

それは！

前頭側頭型認知症

● 前頭側頭型認知症は、初老期に多く発症する脳の変性疾患で、前頭葉と側頭葉前方部に限局した萎縮を認める。
人格の変化、常同行動、脱抑制などの症状を呈し、大食や甘いもの、味付けの濃いものを好む、ある一定の食物に固執するなど、食事の好みの変化も出現する。

CHAPTER 3 認知症高齢者への食事援助

CHAPTER 3
高齢者ケアの
実際

胃瘻栄養法

経口的に十分な栄養補給ができない人に対し、
栄養維持・改善のための1つの方法として、胃瘻栄養法がある。
高齢者は、老化や脳梗塞・神経難病などによる嚥下機能低下、認知症に
よる摂食困難などにより、胃瘻栄養法を選択するケースが少なくない。
胃瘻栄養法の選択に、患者と家族は複雑な思いを抱えている場合もある。
患者・家族の思いを理解したうえでケアをする必要がある。

ケアのポイント

● 胃瘻を造設している高齢者は、意識レベルや認知機能が低下しているなど、自分で訴えることが困難なケースが多い。栄養剤注入前後の観察は特に重要である。

● チューブの自己抜去などの可能性があり、対策が必要である。

● 高齢者の皮膚は脆弱であるため、胃瘻周囲の観察・保清が大切である。

● 高齢者は背部・腰部の変形、関節拘縮がみられる場合もあり、栄養剤注入時には誤嚥を防止する適切な体位を工夫する。

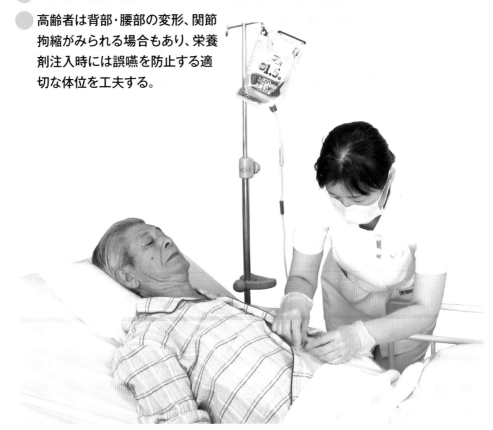

PROCESS ① 必要物品・栄養剤の準備

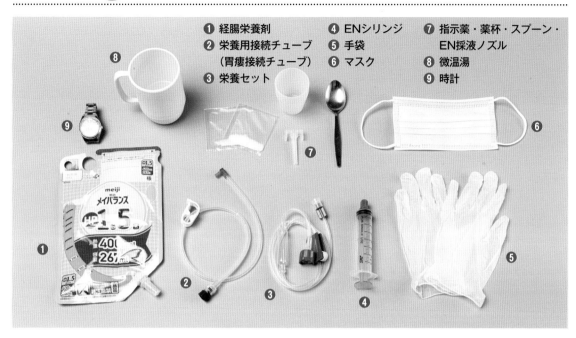

① 経腸栄養剤
② 栄養用接続チューブ
　（胃瘻接続チューブ）
③ 栄養セット
④ ENシリンジ
⑤ 手袋
⑥ マスク
⑦ 指示薬・薬杯・スプーン・
　EN採液ノズル
⑧ 微温湯
⑨ 時計

手を洗い、必要物品を準備する。粉末の栄養剤の場合はミキシングボトルに入れ、人肌程度の湯で溶解する。栄養剤を栄養セットにつなぎ、チューブ先端まで液を満たす。
経腸栄養剤は温めることで細菌の繁殖が促進されるため、常温で注入する。特に、常温保存が指定されている経腸栄養剤は、そのまま常温で注入する。

PROCESS ② 患者への説明と準備

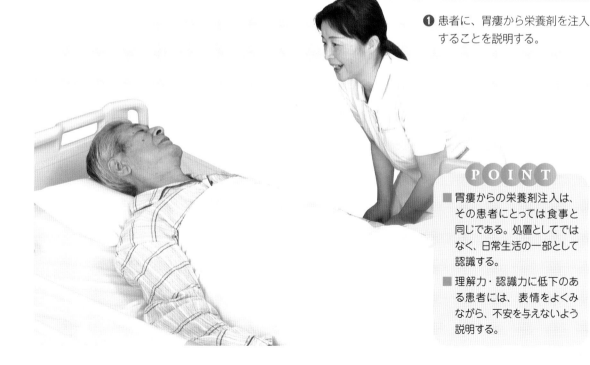

① 患者に、胃瘻から栄養剤を注入することを説明する。

POINT

■ 胃瘻からの栄養剤注入は、その患者にとっては食事と同じである。処置としてではなく、日常生活の一部として認識する。

■ 理解力・認識力に低下のある患者には、表情をよくみながら、不安を与えないよう説明する。

71

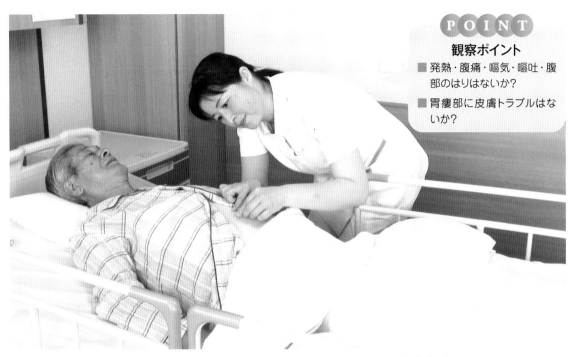

❷ カーテンをひいてプライバシーに配慮し、バイタルサインを測定し、患者の全身状態、胃瘻部の状態を観察する。

❸ 患者の体位を整える。誤嚥を防止するため、30〜60度仰臥位が望ましい。うがいなど口腔ケアを行い、必要時吸引を行って、体位を整える。

EVIDENCE

頭側挙上で誤嚥防止

■ 臥床したままで注入すると、胃に注入した栄養剤が逆流して気管に入り、肺炎を起こす可能性がある。

褥瘡予防のためのポジショニング

■ ギャッジ基点部と股関節部を合わせて、下肢から挙上していく。

■ ギャッジアップをしたら、背抜き・足抜きをして、ずれ力が生じないように圧抜きをする。

栄養剤注入前の口腔ケア

■ 胃瘻を造設している患者は、経口摂取をしていないケースが多い。唾液分泌による浄化作用が行われにくく、口腔内常在菌が繁殖しやすい状況にある。

■ 一方、胃瘻に栄養剤を注入することで、口腔内の唾液分泌が刺激され、誤嚥のリスクが高まる。このため、注入前には口腔ケアを行い、誤嚥による肺炎などのリスクを低下させる必要がある。

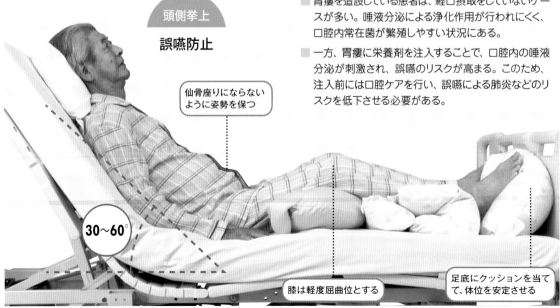

頭側挙上

誤嚥防止

仙骨座りにならないように姿勢を保つ

30〜60°

膝は軽度屈曲位とする

足底にクッションを当てて、体位を安定させる

PROCESS ❸ 経腸栄養剤の注入

1-9

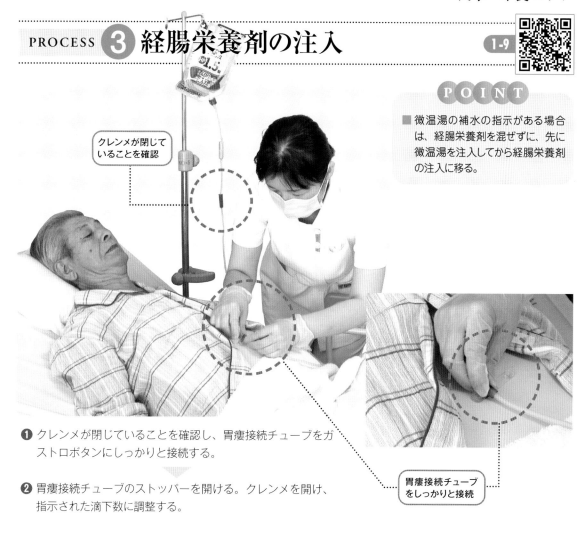

POINT

■ 微温湯の補水の指示がある場合は、経腸栄養剤を混ぜずに、先に微温湯を注入してから経腸栄養剤の注入に移る。

クレンメが閉じていることを確認

胃瘻接続チューブをしっかりと接続

❶ クレンメが閉じていることを確認し、胃瘻接続チューブをガストロボタンにしっかりと接続する。

❷ 胃瘻接続チューブのストッパーを開ける。クレンメを開け、指示された滴下数に調整する。

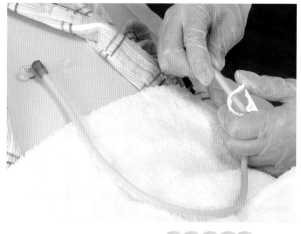

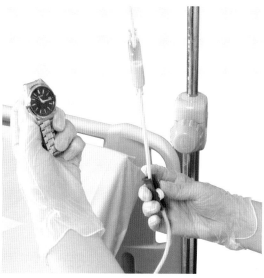

EVIDENCE

注入速度が速すぎると

■ 心臓に負荷がかかり、心拍数の増加が起こる。

■ 腹痛・下痢症状をきたす。

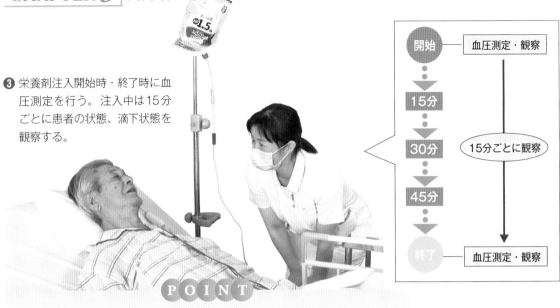

❸ 栄養剤注入開始時・終了時に血圧測定を行う。注入中は15分ごとに患者の状態、滴下状態を観察する。

| 開始 | ── | 血圧測定・観察 |

15分

30分 ── 15分ごとに観察

45分

終了 ── 血圧測定・観察

P O I N T
観察ポイント

■ 顔色・脈拍・呼吸・意識レベル。　　■ チューブの違和感・疼痛、自己抜去のリスク。

■ 腹痛・嘔気の有無。　　　　　　　　■ 滴下速度、チューブ接続部位。

PROCESS **4** 栄養剤注入後のケア [1-10]

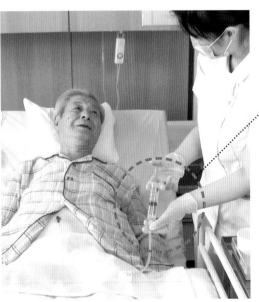

❶ 20〜30mLの微温湯を注入して、チューブ内に残った栄養剤を洗い流す。さらに、指示の薬剤を注入し、同様に微温湯を注入して、チューブ内に残った薬剤を洗い流す。

微温湯を注入 ▶ 薬剤を注入 ▶ 微温湯を注入

P O I N T

■ 内服薬は確実に溶解して、注入する。薬剤はシリンジの底にたまりやすいため、確実に注入できたかを確認する。

■ 薬剤は栄養剤とは混合せず、別に注入する。

■ 内服薬の溶解が不完全であったり、栄養剤に混ぜて注入するとチューブ内で固まり、ルート閉塞の原因となる。

薬剤を服用する場合

指示された薬剤を薬杯に入れ、微温湯で溶解

❷ 注入が終了したら、30分から60分程度はベッド上部を挙上し（30度〜60度）、胃内容物の食道への逆流を防止する。

❸ 栄養剤注入に用いた容器・チューブを洗浄する。

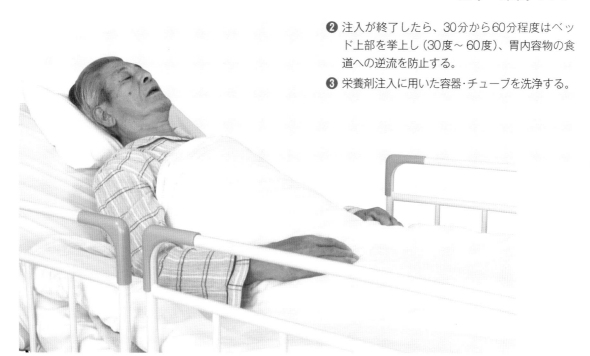

胃瘻部の日常ケア

皮膚トラブルを防止するために

● 創に問題がなければ、入浴・シャワー浴を行う。

● 胃瘻周囲を洗浄する場合は、ぬるま湯を用いる。湿らせたガーゼや綿棒で拭き取る清拭でもよい。洗浄・清拭後は水分をしっかりと拭き取り乾燥させる。

● 石けんを使用する場合は、弱酸性のものを用いる。

皮膚のただれ

皮膚トラブル（例）	原　因
不良肉芽 胃瘻周囲に粘膜が赤く盛り上がる	● 瘻孔周囲の保清不足 ● チューブのこすれ
皮膚のただれ 胃瘻周囲が発赤・びらんしている	● 瘻孔からの漏れ ● 消毒薬などの刺激

POINT

■ 高齢者の皮膚は脆弱。優しく洗浄・清拭を行い、清潔を保って皮膚トラブルを防止する。

■ 胃瘻周囲に水分が残っていると細菌が繁殖しやすく、感染源となる（感染防止）。

■ 胃瘻カテーテルの固定具は皮膚と1〜1.5cmの隙間をあけ、皮膚を圧迫しないよう可動性をもたせる。

■ 1日1回、胃瘻カテーテルを回転させ、可動性の確認を行う。

■ バルーン型の胃瘻の場合、固定水の水が抜けてチューブ抜去につながることを防ぐために、1週間に1回程度固定水を確認する。ただし、在宅では訪問診療や訪問看護の都合により、2週間に1回程度の確認になる場合もある。

経腸栄養剤の形態

種類が増加中の経腸栄養剤をチェック！

胃瘻栄養法の合併症としてよくみられる下痢や胃・食道逆流を防止するため、
近年、さまざまな形態の製品が開発されている。
高齢者の消化や吸収能などの状態に応じて、適切な栄養剤を選択することが大切である。

経腸栄養剤には、天然食品を材料とした天然濃厚流動食と人工的に合成した人工濃厚流動食がある。
人工濃厚流動食は成分によって3種類に分類され、制度上医薬品と食品に分けられる。

成分栄養剤

● 窒素源はアミノ酸で構成される。　● 下痢を起こしやすい。
● 消化をほとんど必要としない成分で構成され、低残渣性・易吸収性が高い。
● 脂質が少なく長期間使用する場合は、必須脂肪酸欠乏に注意が必要である。

製品例

医薬品	エレンタール®、エレンタール®P、ヘパンED®

消化態栄養剤

● 窒素源は低分子ペプチドとアミノ酸で構成され、たんぱく質を含まない。
● 一部消化を必要とするが消化管からの吸収が容易である。
● 脂質が少なく長期間使用する場合は、必須脂肪酸欠乏に注意が必要である。
● 比較的下痢を起こしやすい。

製品例

医薬品	ツインライン®NF
食品	エンテミール®R、ペプチーノ®、ペプタメン®AF、ペプタメン®スタンダード、ハイネックスイーゲル®

半消化態栄養剤

● 窒素源はたんぱく質で構成され、吸収するためには消化の過程が必要である。
● 糖質は炭水化物の複合体で消化が必要である。
● 脂質を多く含み、必須脂肪酸欠乏を起こしにくいが、消化吸収に障害のある場合には適さない。
● 下痢を起こしにくい。
● チューブが詰まりやすい。

製品例

医薬品	エンシュア®・リキッド、エンシュア®・H、ラコール®NF、アミノレバン®EN（肝不全用の製剤）、イノラス®
食品	F2α®、経管用メイバランス®、インスロー®、グルセルナ®REX、リーナレン®LP、プルモケア®、ハイネ®ゼリー、メディエフ®プッシュケア®2.5 など

CHAPTER 3

高齢者ケアの実際

排泄のケア

- 便失禁・尿失禁への援助
- おむつ使用時の援助
- おむつを外すための援助
- 尿道留置カテーテルの管理

CHAPTER 3
高齢者ケアの
実際

便失禁・尿失禁
への援助

排泄は人間の基本的欲求であり、同時に人間の尊厳に大きくかかわる。

高齢者が、排泄行動を他者に依存する状況になった時、

羞恥心はもちろん、能力の低下に落胆や失望を感じる。

そのため、問題があってもだれにも相談できず、年だからとあきらめている

場合が多い。

便失禁・尿失禁への援助は、患者の心の声に耳を傾け、

尊厳を守りながら行うことが大切である。

そのうえで、原因、介入方法、予測される問題を総合的にアセスメントし、

QOLの向上を支援していく。

ケアのポイント

⬤ 失禁の原因は何かをアセスメントする。

⬤ 患者の持つ能力を評価する（認知機能、運動機能、器質的・生理的な排泄機能）。

⬤ 実践・継続可能なケアプランを患者・家族とともに立案する。

⬤ 患者が問題を表出しやすい環境を作り、プライバシーの保護、羞恥心への配慮
を行う。

STUDY 排便機能のメカニズム

摂取した食物は食道・胃・小腸・大腸から肛門を経て、便として排泄される。消化管を通過する中で、栄養素や水分の消化・吸収が行われる。

排便機能に重要な役割を担うのは直腸・肛門である。糞便はS状結腸で一時的に貯留されており、蠕動運動で直腸に送られると、直腸壁から大脳に刺激が伝わり、便意が起こる。内・外肛門括約筋や肛門挙筋の働きにより便が排泄される。

CHAPTER 3 便失禁・尿失禁への援助

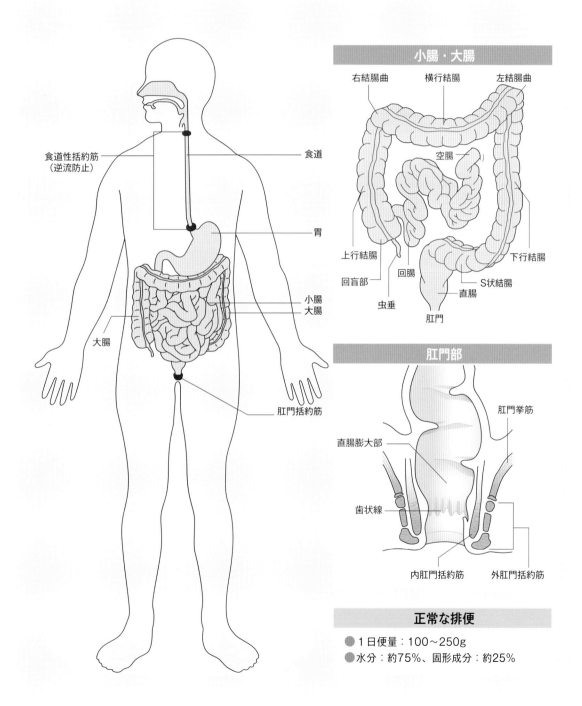

食道性括約筋
（逆流防止）

食道

胃

小腸
大腸

大腸

肛門括約筋

小腸・大腸

右結腸曲　横行結腸　左結腸曲

空腸

上行結腸　　　　　　　　下行結腸

回盲部　　回腸

虫垂　　　　　　S状結腸

直腸

肛門

肛門部

肛門挙筋

直腸膨大部

歯状線

内肛門括約筋　　外肛門括約筋

正常な排便

● 1日便量：100～250g
● 水分：約75%、固形成分：約25%

CHECK! 便失禁のアセスメント

便失禁のアセスメントは、便失禁に至った過程、便失禁の状態、
失禁に対する患者の受け止め方などを問診、排泄チェックシート、身体診察、
機能検査などから情報を得て行う。問診・排泄チェックシートは特に重要であり、
原因・治療やケアの方向性を判断する手がかりとなる。

高齢者は便秘を訴えることが多く、下剤の乱用が便失禁の要因となっている
場合がある。下剤の種類・量・内服方法などを把握し、
コントロールすることで症状が軽減するケースも少なくない。
また、下痢を引き起こしている原因（細菌・ウイルス感染、放射線障害、炎症性腸疾患、
結腸癌など）を治療することで、便失禁の改善につながる場合もある。
便失禁による皮膚トラブルも多く、肛門周囲の皮膚の観察、
患者が行うスキンケアなどの評価が重要である。

便失禁の分類・原因と対処法

分　類	原　因	治療・対処法
漏出性便失禁 ●便意を感じないまま自然に便が漏れる	内肛門括約筋の低下 ⇒高齢者や直腸脱の患者に多い	●便性のコントロール（食事療法・下剤調整） ●摘便・浣腸 ●生活指導（排便日誌・排便周期の確立）
切迫性便失禁 ●便意をもよおしてからトイレまで我慢できずに失禁してしまう	下痢、直腸癌、潰瘍性大腸炎、分娩・肛門の手術後などの外肛門括約筋損傷	●排便のコントロール （食事・整腸剤・止痢剤など） ●手術（括約筋形成術・人工肛門など）
漏出・切迫性便失禁 ●両方の症状を併せ持つ	●漏出性便失禁・切迫性便失禁に準じる	

そのほかの治療・ケア

● 骨盤底筋体操を行ったり、失禁ケア用品を活用する場合もある。

● 失禁ケア用品の中には、肛門に直接挿入し、便の流出を防ぐタイプのものもあるが、これは
医師の指導のもとに使用することが望ましい。

S T U D Y 排尿機能のメカニズム

腎臓で生成された尿は、尿管を通り膀胱に一時的にためられ、尿道を通って体外に排出される。排尿に重要な役割を担う膀胱・尿道を総称して、下部尿路という。

下部尿路機能は膀胱に尿をためる「蓄尿」と、膀胱から尿を出す「尿排出」がある。

蓄尿時に膀胱は弛緩して尿をためるスペースを作り、尿道は収縮して尿が漏れないようにしている。排尿時には膀胱は収縮し、尿道が弛緩する。これら一連の流れは、下部尿路を構成する筋組織や神経系、骨盤底筋群などにより調節される。

CHAPTER 3 便失禁・尿失禁への援助

男性の下部尿路

恥骨結合　尿管口

膀胱

直腸

前立腺　精囊

外尿道口　内尿道口

●男性の尿道：約18〜20cm

女性の下部尿路

恥骨結合　子宮　尿管口

膀胱

尿道　外尿道口　膣

●女性の尿道：約3〜4cm

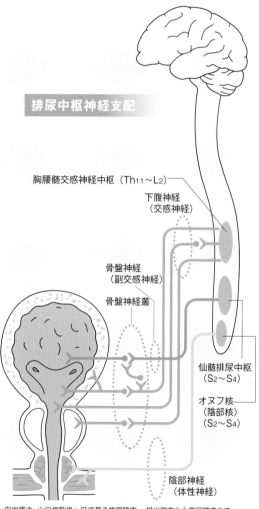

排尿中枢神経支配

胸腰髄交感神経中枢（Th11〜L2）

下腹神経（交感神経）

骨盤神経（副交感神経）

骨盤神経叢

仙髄排尿中枢（S2〜S4）

オヌフ核（陰部核）（S2〜S4）

陰部神経（体性神経）

白岩康夫，山口脩監修：目で見る排尿障害 —排出障害から蓄尿障害まで—．メディカルレビュー社，1995，p10より

正常な排尿

- 1日尿量　：1,000〜2,000mL
- 1回尿量　：200〜500mL
- 1日の回数：6〜10回
- 性状　　　：薄い黄色〜透明

CHECK! 尿失禁のアセスメント

尿失禁をアセスメントするには、尿失禁に至った過程、
失禁の状態、失禁に対する患者の受け止め方などを問診し、排尿日誌、身体診察、
機能検査などから情報を得て行う。
特に問診と排尿日誌は重要であり、考えられる原因と治療やケアの方向性を
判断する手がかりとなり、生活指導、行動療法の一環となる場合もある。

高齢者は複数の疾患に罹患し、多種多様な薬剤を服用していることが多い。
服薬を調整することで症状が軽減するケースも少なくない。
また、水分の摂取量・摂取内容・摂取方法を指導することで軽快する場合も多い。
身体機能・認知機能・視力・聴力・排泄習慣・環境などのアセスメントが重要であり、
医師と協働してケアを立案していく。

尿失禁の分類・原因と対処法

分 類	原 因	治療・対処法
腹圧性尿失禁 ●咳・くしゃみ、軽い運動など急激な腹圧上昇に伴う失禁	加齢、出産、閉経、骨盤底筋群の脆弱化、肥満、便秘、前立腺疾患の手術後など	●骨盤底筋体操 ●薬物療法 ●生活指導 　　　　など
切迫性尿失禁 ●急激な尿意（尿意切迫）に伴う失禁	加齢、前立腺肥大症、尿路感染症、中枢神経疾患（脳血管疾患・パーキンソン病など）	●薬物療法 ●行動療法（膀胱訓練など） 　　　　　　　　　　など
混合性尿失禁 ●腹圧性尿失禁と切迫性尿失禁の症状が混在	●腹圧性尿失禁・切迫性尿失禁に準じる	
溢流性尿失禁 ●大量の残尿があふれて、少しずつ漏れている状態（尿が出にくいが失禁もある）	前立腺肥大症、脳血管障害、骨盤内手術など	●間歇導尿 ●手術療法 ●薬物療法 　　　　など
機能性尿失禁 ●排尿機能に関係なく、認知・身体・視力などの障害により失禁してしまう状態	認知症、脳血管障害・脊髄損傷などによる四肢麻痺、視力障害など	●時間排尿誘導 ●排泄補助用具の活用 ●介護力の強化 　　　など

骨盤底筋体操

2-1

骨盤底筋体操とは、脆弱化した骨盤底筋群を鍛えるトレーニングである。
即効性はないが、継続することで尿道の締まりをよくし、尿漏れを軽減する
効果を期待する。評価の目安は3〜6か月である。
副作用がなく簡便で、膝・腰などに疼痛がある患者でも実施できるが、
患者の意欲や継続力によって成果は左右される。

トレーニングの方法

訓練の対象

- 尿失禁：腹圧性・切迫性・混合性
- 膀胱瘤・直腸瘤・子宮脱・直腸脱
- 前立腺全摘後の腹圧性尿失禁
- 便失禁・排便障害に対する外肛門括約筋の強化
- 性機能障害

耐久力トレーニング

締めて4〜5秒間
10〜20回

瞬発力トレーニング

締めたり
緩めたり

POINT

骨盤底筋群の締め方

- 腹筋や臀筋に力を入れず、骨盤底筋だけを締める（尿を途中で止める、便を途中で切る、排ガスを我慢する感じ）。
- お腹に力が入っていないか、看護師が触れて確かめる。もしくは、患者自身に手を当てて確認してもらう。
- 思い切り締めようとせず、「閉じる」感覚で行い、呼吸を止めないよう声を出して数を数えるとよい。

開始前

深呼吸や
ため息

患者にリラックスしてもらい、膣・尿道・肛門のいずれか、感覚がわかりやすい部位に意識を集中させる。
深呼吸、深いため息をついて開始する。

耐久力を鍛える

骨盤底筋を締めたまま、4〜5秒間止めた後、ゆっくりと緩めていく。
これを1セットとし、10〜20回繰り返す。

瞬発力を鍛える

骨盤底筋を締めたり緩めたりを交互に行う。

EVIDENCE

膣・尿道・肛門のいずれか

- 骨盤底筋群は1つの筋肉ではなく、肛門挙筋・尿生殖隔膜・浅会陰筋群・肛門括約筋などの横紋筋からなるため、どの部位に意識を集中しても、骨盤底筋群を鍛えることになる。

トレーニング時の体位

耐久力訓練・瞬発力訓練は臥位・立位・座位など、さまざまな体位で実施できる。
すべての体位で実施する必要はなく、収縮・弛緩の感覚がわかりやすく、全身・腹
部に余分な力が加わらない安楽な体位を選択する。

立位

● 手足を肩幅に
開き、テーブル
に両手をつく。

座位

● できるだけ浅めに
腰かけ、足を肩幅に
開き、背筋を伸ば
して肩の力を
抜く。

仰臥位　● 仰向けになり、両足を肩幅に開き、両膝を
立てる。

POINT

■ いずれかの体位で10〜20回くり返す。
上記を3〜5回／日行うことが望ましい。

■ 起床時・毎食後・就寝時など、日常生活に組み込む。

■ 1度に数多く実施すると疲労からストレスになる。後半になると力が十分入
らず、効果的でなくなる場合が多い。無理なく続けられる回数を決める。

膀胱トレーニング（膀胱訓練）

膀胱トレーニングとは、膀胱内にためられる尿量を増やすために行う。
事前に排尿日誌をつけて排尿パターンを知り、3か月程度実施してもらう。
頻尿は疾病に起因するほか、心因性の場合もあるため、
頻尿の原因を明らかにする必要がある。

訓練の方法

訓練の効果
- 膀胱容量低下の改善
- 排尿間隔の延長
- 頻尿改善

開始前
深呼吸や
ため息

尿意を我慢
- 骨盤底筋を締める
- 気を紛らわす

確認事項
- 患者の最大膀胱容量（1回の最大排尿量）
- 1日の排尿回数
- 1回排尿量　1日排尿量
- 飲水量
- 残尿の有無（残尿が多いと我慢することで感染・炎症を起こす場合がある）
- 尿路感染の有無（尿路感染が疑われる場合は、悪化につながるため膀胱トレーニングは禁忌）
- 排尿間隔

尿意を我慢しやすい体位をとり、排尿間隔を引き延ばす訓練を行う。

尿意を我慢する
1. 骨盤底筋を締めて尿意を我慢する。
2. 尿道口を圧迫して尿意を我慢する。
3. トイレ以外のことを考えて気を紛らわせ、呼吸をコントロールする。

排尿間隔を引き延ばす
上記の方法で何度か尿意を我慢する。
尿意の波が落ち着いた段階でさらに延長するか、トイレ以外のことを考えながらトイレに向かう。

POINT
尿意の波に注意
- 尿意には強い、弱いという波がある。
- 尿意が強い時、トイレに行くと失禁につながりやすい。
- 尿意が弱まった時、トイレに行くとよい。

排尿（排便）日誌

骨盤底筋体操や膀胱トレーニングの評価は、質問票や排尿（排便）日誌を用いて行う。日誌への記載は、セルフモニタリングとなり原因が明確化し、実践・継続的な改善策が考えられるため、尿失禁などの改善・治癒につながる。

評価に際しては、QOLが改善されているか、患者本人の訴えが重要である。

- この日誌はあなたの排尿状態を観察するためのものです。この記録から排尿に関するあなたの悩みを客観的に判断し、今後の治療に役立てます。

- 記録することから自分の排尿周期と向き合い、少しでも悩みが改善することを目標に「日誌」をご活用ください。

- ご不審な点がありましたら泌尿器科外来までご連絡ください。03-3964-1141（内線：2227）

*尿量を測定する容器として例えば以下のもので代用ください。

目盛りのついたカップ　　紙コップ

記入者名：

この日誌の使い方

※起床から、翌日の起床までの排尿の記録を記入します。

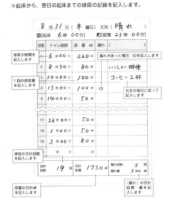

- 排尿時刻
- 排尿量（1回量）
- 尿失禁の有無
- 失禁時の状況
- 尿意の強さ（尿意切迫感）
- 水分摂取量・摂取内容
- 残尿量・残尿感
※最低でも2〜3日間は記載することが望ましい。

効　果

- 排尿障害のタイプがわかる。
- 主観的訴えと客観的事実の相違を明らかにできる。
- 必要な治療・日常生活指導・介入方法などがわかる。
- おむつを外すための排尿誘導時間がわかる。

POINT

■ 患者が自宅などで採尿する場合は、100円ショップなどで販売されている持ち手付きの計量カップが使いやすいため、紹介するとよい。

■ 日誌は、必要項目さえ記載されていれば、どのような紙・ノートを使用しても問題ない。「排尿日誌ダウンロード」で検索すると、学会や協会など多くの排尿日誌のテンプレートが無料でダウンロードできる。それらを活用するか、自部署でオリジナルのものを作成するなどして、まずは日誌をつけてみることを勧める。

■腹圧性尿失禁の患者に多い記載例

トイレ時間	尿量(mL)	尿意	漏れの有無と状況	水分量(mL)・種類
6:00	450	あり	あり・布団から立ち上がった時	水 200 牛乳 200
10:00	400	あり	あり・くしゃみが出た時	緑茶 400
12:00	300	あり	なし	コーヒー 200 緑茶 200

腹圧が急激に上昇した際（咳、くしゃみ、重いものを持ち上げた時など）に尿失禁がみられるのが特徴である。

■切迫性尿失禁の患者に多い記載例

トイレ時間	尿量(mL)	尿意	漏れの有無と状況	水分量(mL)・種類
6:00	200	あり	なし	水 200 牛乳 180
8:00	200	あり 切迫感	あり・朝食時の食器を洗うなど、炊事仕事中	コーヒー 200
10:00	150	あり 切迫感	あり・買い物からの帰宅時、家の鍵を開けようとした時	緑茶 100

強い尿意や切迫感があることが多い。水に触れる、水の音を聞くなど、水に関連して強い尿意を催すことが多い。また、「あと少しでトイレ！」というところで漏れてしまうことが多いのも特徴である。

おむつ使用時の援助

CHAPTER **3**
高齢者ケアの
実際

失禁などによりおむつを使用することになった高齢者は、
これまでの排泄様式ができなくなることや、
変わることへの不安・恐怖・悲しみなど、精神的な苦痛を抱えることにつながる。
おむつを使用する高齢者がどのような思いでいるのか、
援助にあたっては患者の心に十分配慮するとともに、
人としての尊厳を守るケアの提供が必要である。

ケアのポイント

● 本当におむつの使用が必要なのか、おむつを外せるかどうかを適宜アセスメントし、患者と相談しながら検討する。

● おむつを使用する場合は、必ず患者と家族に説明をする。

● 患者に意識障害がある場合は、意識が改善した時に説明する。
その際、なぜ今おむつが必要なのか、また状態が改善すれば外すことを説明する。

● 排泄の有無を確認する際、大声で「おむつをみせてください」と言うなど、周囲におむつの使用を公言するような言動は避ける。

● 自尊心を傷つける不用意な言動・態度をとらないよう、常に患者の気持ちを察し、十分に配慮する。

● おむつは最終手段でも使用悪でもない。近年、様々な種類のおむつが出ているため、患者の状況や気分などに応じて選び、うまく使いこなすことも重要である。

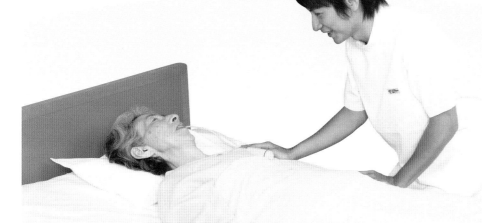

おむつの選択

近年、おむつ・パッド類は多種多様な製品が発売されている。
それぞれの製品の特徴をふまえ、患者の生活様式や失禁状況、予防的スキンケアの観点から正しく選択・着用する。患者のADL、QOL、用途、装着感を考慮し、介護する側の労力、経済的負担なども考慮する必要がある。個々の状況に応じて選択する。

失禁の種類による選択

尿失禁か？便失禁か？

尿失禁用パッドは尿を吸収するように作られており、便失禁に用いると目詰まりを起こし、吸収しきれない。尿失禁には尿失禁用パッドを、便失禁には便失禁用パッドを使用することが望ましい。

尿失禁用パッド

- 尿失禁用パッドは表面シートの目が細かく、尿を吸収するために作られている。

- 尿失禁用パッドを便失禁用に用いると、便の残渣でシートが目詰まりを起こし、便を吸収できない。

パッド表面の性状

便失禁用パッド

- 便失禁用パッドは表面に穴あきシートを採用し、下痢便が目詰まりしにくい構造になっている。

- 便を水分と固形物に分離し、水分を濾過して吸収することで、便漏れを軽減し、皮膚障害のリスクを軽減できる。

パッド表面の性状

POINT

便失禁に、尿失禁用パッドの使用は禁物！

■ 便失禁に尿失禁用パッドを使用すると、便を吸収できないため、皮膚に便が付着した状態が続いてしまう。また、横漏れの原因にもなる。

■ 便が漏れるため尿失禁用パッドを何枚も重ねて使用することになり、蒸れを増強させる。皮膚の浸軟に加え、便の付着による刺激があり、皮膚トラブルの原因となる。

■ 尿失禁用パッドを何枚も使用することから、経済的負担も大きい。用途別に正しくおむつを使用することが大切である。

CHECK! 尿失禁・便失禁時の補助アイテム

写真提供／
株式会社ベーテル・プラス

ニュースキンクリーンコットンは、水分を透過する非吸収繊維のポリエステル綿であり、尿や下痢便をおむつに移行させる。尿失禁用パッドのようにおむつ内に使用することで、尿・下痢便が皮膚に付着しない状態に保つことができる。

★1回の使用量は1パックの1/2が目安となる。

尿失禁の場合

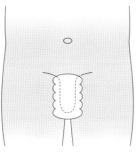

- 女性の場合は、ニュースキンクリーンコットンで陰部を覆う。
- 男性の場合は、ニュースキンクリーンコットンで陰茎を覆うように巻き付ける。

便失禁（下痢）の場合

- ニュースキンクリーンコットンを肛門部とその周辺に当て、臀裂で挟んでずれを防止する。さらに、臀部から尾骨部へとコットンを広げる。

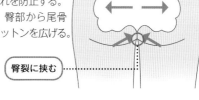

臀裂に挟む

おむつの形状・特徴による選択

パンツ？
テープ？
フラット？

おむつの形状にはパンツタイプ、テープタイプ、パンツ＋テープの2WAYタイプ、フラットタイプがある。患者の状態に応じて選択することが大切である。

パンツタイプ

- テープでとめるのではなく、パンツと同じように着用できる。
- 自分でトイレに行ける対象者や、トイレットトレーニングを開始する対象者に適している。

テープタイプ

- 吸収量が多く、値段も高いおむつ。失禁量が多い対象者や、頻回に交換できない対象者に有効である。
- 湿潤環境にある時間が長くなるため、蒸れによる皮膚トラブルのリスクがある。

2WAYタイプ（パンツ＋テープ）

- 日中は自分でトイレに行き、着脱することができ、夜はベッド上で付け外しの介助がしやすいなど、両方のメリットが享受できる。

フラットタイプ

- パッドとしておむつ内に入れて使用したり、シートとして敷いて使用するなど、用途が多様である。
- 寝たきりの対象者におむつとして用いる場合と、シートやパッドとして補助的に用いる場合とがある。

パッド類

パッド類の選択

パッド類は吸収量から形態までさまざまであり、失禁量と活動状況を考慮して選択する。さらに、失禁用パンツとパッドを組み合わせて使用することもできる。

パッド各種

男性用パッド

片面防水型

両面吸収型

● 吸収力が少量から多量まで、さまざまなパッドがあり、失禁量に合わせて選択する。

● 尿に勢いを伴う場合は、パッド周囲にギャザーがあるタイプやひょうたん型を用いるとよい。

● 男性用パッドは陰茎に巻き付けたり、陰茎をポケットに挿入する。

● 男性用トイレには汚物入れがないことが多いため、パッドの捨て方についても情報を提供する。

● 失禁用パンツに、パッドを差し込んで使うこともある。

● 失禁用パンツは股間に吸収素材が縫い込んであり、外観は普通のパンツと同様である。

POINT

pHをコントロールするパッド

■ 紙おむつ内のpHは、尿の状態によってはアルカリ性に傾く。これが持続すると弱酸性である皮膚のバリア機能が障害され、皮膚トラブルの原因になる。

■ おむつ内のアルカリ化を弱酸性に近づける、pHをコントロールするパッドが販売されている。汚染状態が長時間持続するような対象者には、選択肢の1つとなる。

写真・資料提供
／白十字

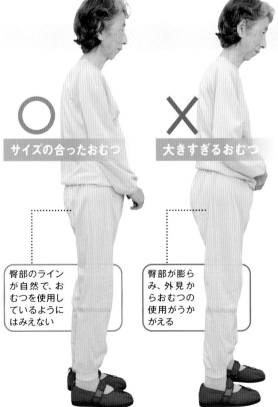

○ サイズの合ったおむつ

× 大きすぎるおむつ

臀部のラインが自然で、おむつを使用しているようにはみえない

臀部が膨らみ、外見からおむつの使用がうかがえる

おむつのサイズの選択

おむつは、対象者の体型に応じたサイズを選択することが必要である。大きすぎるサイズを選択すると横漏れ・背漏れにつながり、小さいサイズを選択するとギャザーの圧迫などから皮膚トラブルにつながる。下着を選ぶ時のように、ウエストのサイズで選ぶとよい。

さらに、大きすぎるおむつやパッドを何枚も重ねて使用すると、他者におむつの使用を知られ、患者の尊厳を傷つける場合がある。その人に適したサイズ・枚数を使用する。

POINT

不用意な言葉に注意!

■ 失禁している患者に「出ちゃってる」「また出た」は禁句。

■ 尿器を当てて「今して」「もう出しましたか」など、強制は禁句。

■ 不用意な言葉は相手の自尊心を傷つけ、排泄行為を恐怖に変えてしまう。常に患者の気持ちを察して、言葉をかけることが重要である。

おむつの装着

2-2

テープタイプのおむつを装着する際は、パッドと陰部の位置を合わせ、ギャザーを立てフィットさせて、テープをきちんととめるのがポイントである。

テープタイプ

❶ 患者に、おむつの装着（交換）について説明し、同意を得て交換する。汚れたおむつを外した後は、汚染状況に応じたスキンケアを行う（スキンケアの項参照）。

❶

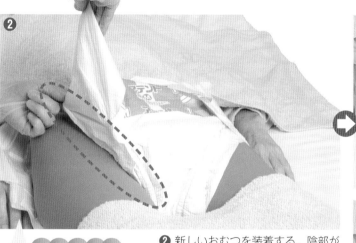

❷

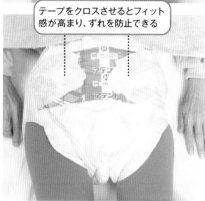

❸

テープをクロスさせるとフィット感が高まり、ずれを防止できる

POINT

■ ギャザーを立てながらフィットさせることで、横漏れを防止し、圧迫による皮膚トラブルを回避する。

❷ 新しいおむつを装着する。陰部がパッドの中央部にくるように当て、ギャザーに指を入れて立たせ、鼠径部にフィットさせる。

❸ テープをきちんととめて、おむつをフィットさせる。
寝衣・体位を整え、掛け物をかけて、ベッド周囲を整える。

POINT

ギャザーによる圧迫に注意！

■ 鼠径部のギャザーを伸ばしてフィットさせず、内側に丸まった状態にしておくと、横漏れの原因になるだけでなく皮膚への圧迫・摩擦が生じる。皮膚トラブルを引き起こす場合があるので、注意が必要である。

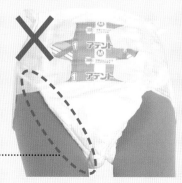

ギャザーの丸まりは禁忌！

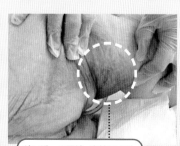

ギャザーの圧迫・摩擦により、表皮剥離が発生！

おむつを外すための の援助

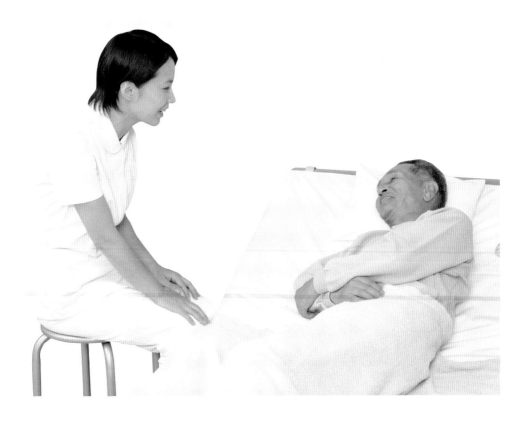

CHAPTER 3
高齢者ケアの
実際

おむつの使用は、患者の認知機能・運動機能・器質的機能を
低下させるリスクが高くなる。
同時に、介護を担う家族にも労力や経済的負担がかかる。
疾患の急性期など一過性の排尿障害なのか、慢性的な排尿障害なのか、
何が問題で何が患者本人にできるのかを総合的な視点からアセスメントし、
患者の持てる力を維持・増進できるようケアを提供していく。

ケアのポイント

- おむつの必要性についてアセスメントする。
- 患者の持つ能力をアセスメントする（認知機能、運動機能、器質的・生理的な排泄機能）。
- おむつは外せる場合が多いことを認識する。

おむつを外すためのアセスメント

排泄障害の原因・現症状、ADL、排泄パターン、
患者・家族の価値観を確認し、患者の持てる力を維持・増進できるよう、
総合的にアセスメントする。

原因・現症状

おむつ装着の原因・現症状は？
- なぜ、おむつを装着しなければならなかったのかを確認する。
- 排尿・排便障害の現在の状況を確認する。

ADL

排泄に必要な動作ができるか？
- 患者の日常生活動作（ADL）を観察する。起き上がり動作、立位、歩行、移動動作、パジャマや下着の上げ下げが可能かどうかを確認する。
- 自力で実施できるのか、見守りが必要か、一部介助を要するのか、どこを介助すべきなのかを観察する。
- 尿意・便意を訴えることはできるのかを観察する。

排泄パターン

個々の排泄パターンは？
- 排泄日誌やチェック表を記載し、おおよその排泄パターンを把握する。
- 排尿時間、間隔、失禁しやすい時間帯と動作、排尿と水分摂取量の関係、尿意を訴えるようなサインの有無など、個々のパターンを観察する。

患者・家族の価値観

ともに目標を設定し、QOL の向上を
- おむつを使用することになった時には、なぜ今おむつが必要なのか、また状態の改善に合わせて外すことを、患者・家族に説明しておく。
- おむつを外していく際には、患者の ADL・QOL とともに家族の QOL を考慮し、ともに目標を設定し、相談しながら実践していく。

おむつを外す援助の実際

アセスメントの結果をふまえ、トイレへの誘導、おむつの種類の変更、環境調整、衣服の調整などを行って、おむつを外すケアを実践していく。

PROCESS **1** トイレへの誘導

トイレに行ってみましょうか

起床後や就寝前、また排泄日誌などから得られた情報をもとに、トイレへと誘導する。この際、「トイレに行きます」「トイレの時間です」など、強制的に誘導することは控える。「トイレに行ってみましょうか」と静かに声をかけ、相手の自尊心を尊重し、強制的に連れていかれたと感じさせないことが大切である。

すでに失禁がみられても、トイレに誘導することが、機能の改善につながる。
排泄パターンがつかめない場合には、2〜3時間おきに声をかけ、誘導する。

POINT

おむつを使用する高齢者の気持ちは?

■ 失禁とおむつの使用に「慣れる」ことなく、おむつを使用する一人一人の高齢者がどのような気持ちでいるのかに、思いを向ける必要がある。

■ おむつを使用する必要がなくなった時、タイムリーにおむつを外せるよう、対応していく。

■ 常に、高齢者その人が持つ能力を最大限に引き出し、QOLの向上と維持を図る。

PROCESS **2** おむつの種類の変更

① 介護用おむつと尿失禁用パッドとの併用を安易に選択している場合は、排尿/失禁状況/ADLなどを総合的にアセスメントし、どの種類のおむつをどのような組み合わせにするのか検討する。

② トイレ誘導が開始されれば、着脱が容易で排泄動作がスムーズになるパンツ式おむつに変更する。尿失禁用パッドの併用は、毎回必ず行うのではなく、失禁回数・量・状況により使用する。

③ 失禁回数・量が減少すれば、通常のパンツに尿失禁用パッドを必要時、併用する。

④ 日中は失禁がないものの夜間は睡眠薬・安定剤を内服して熟睡するため、大量に失禁してしまう場合がある。この場合は、夜間のみ介護用おむつや吸収量の多いパッドを選択する。

⑤ 装着時にはパンツ式おむつ、臥床時には介護用おむつになる2wayタイプがあり、失禁の状況に応じて使用する方法もある。

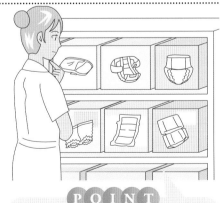

POINT

■ おむつやパッドの種類は多種多様であり、選択や組み合わせは1つではない。個々の患者に応じた選択を行う。

PROCESS ③ 環境の調整

トイレまでのルート、トイレ内の環境、ポータブルトイレの設置状況など、排泄にかかわる環境を整え、患者が安心してスムーズに排泄できるよう調整する。

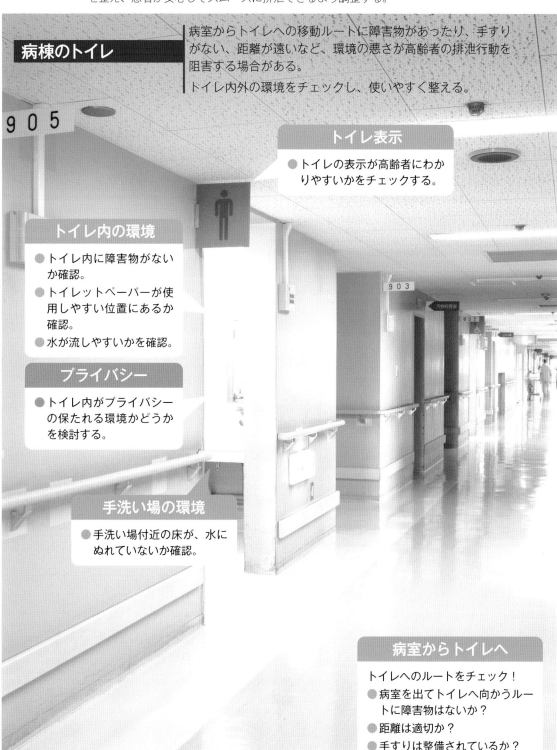

病棟のトイレ

病室からトイレへの移動ルートに障害物があったり、手すりがない、距離が遠いなど、環境の悪さが高齢者の排泄行動を阻害する場合がある。
トイレ内外の環境をチェックし、使いやすく整える。

トイレ表示
- トイレの表示が高齢者にわかりやすいかをチェックする。

トイレ内の環境
- トイレ内に障害物がないか確認。
- トイレットペーパーが使用しやすい位置にあるか確認。
- 水が流しやすいかを確認。

プライバシー
- トイレ内がプライバシーの保たれる環境かどうかを検討する。

手洗い場の環境
- 手洗い場付近の床が、水にぬれていないか確認。

病室からトイレへ
トイレへのルートをチェック！
- 病室を出てトイレへ向かうルートに障害物はないか？
- 距離は適切か？
- 手すりは整備されているか？

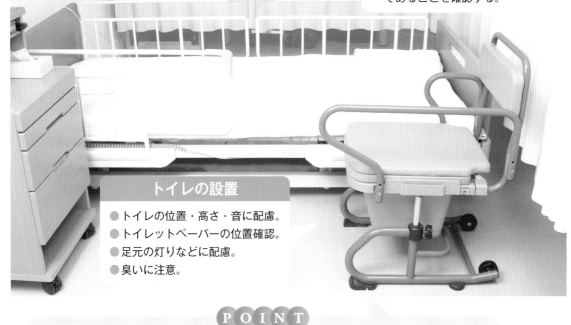

ポータブルトイレ

トイレの設置法、照明、音、臭い、プライバシーなどについて検討する。

プライバシー

● カーテンが使用しやすい状態であることを確認する。

トイレの設置

● トイレの位置・高さ・音に配慮。
● トイレットペーパーの位置確認。
● 足元の灯りなどに配慮。
● 臭いに注意。

POINT

臭いにも注意！
■ 排泄物はそのつど廃棄し、臭いが残らないようにする。
■ 加齢に伴い鼻粘膜が乾燥しやすくなり、嗅覚閾値も上昇するため嗅覚が低下する。高齢者は臭いに鈍感になるので、患者の尊厳を守るためにも臭いへの配慮を行う。

PROCESS **4** 衣服・履物の調整

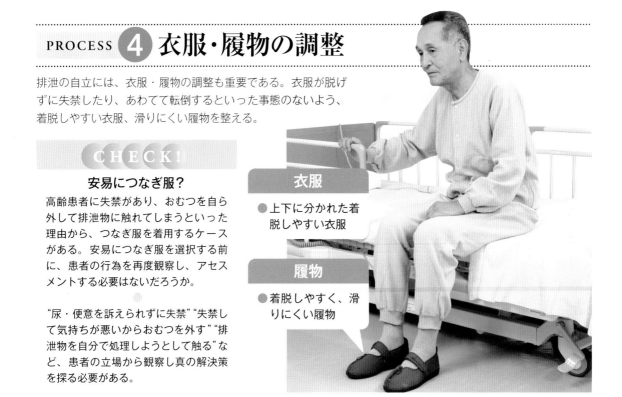

排泄の自立には、衣服・履物の調整も重要である。衣服が脱げずに失禁したり、あわてて転倒するといった事態のないよう、着脱しやすい衣服、滑りにくい履物を整える。

CHECK!

安易につなぎ服？

高齢患者に失禁があり、おむつを自ら外して排泄物に触れてしまうといった理由から、つなぎ服を着用するケースがある。安易につなぎ服を選択する前に、患者の行為を再度観察し、アセスメントする必要はないだろうか。

"尿・便意を訴えられずに失禁" "失禁して気持ちが悪いからおむつを外す" "排泄物を自分で処理しようとして触る" など、患者の立場から観察し真の解決策を探る必要がある。

衣服

● 上下に分かれた着脱しやすい衣服

履物

● 着脱しやすく、滑りにくい履物

尿道留置カテーテルの管理

尿道留置カテーテルは、患者に身体的・精神的苦痛を与えるだけでなく、
細菌の感染ルートとなる。
尿道カテーテルを留置する場合は、感染対策を徹底するとともに、
適応から脱した際には早期に抜去することが求められる。
早期抜去が感染防止と患者のQOLに寄与することを
常に念頭において、ケアにあたることが重要である。

ケアのポイント

- 尿道カテーテルの留置期間中は、尿の流出を確認し、発熱などの感染徴候に注意する。
- 尿道留置カテーテルの挿入時や採尿時などは、清潔操作を行う。
- 尿道カテーテル留置の必要性についてアセスメントを行い、可能であれば抜去する。

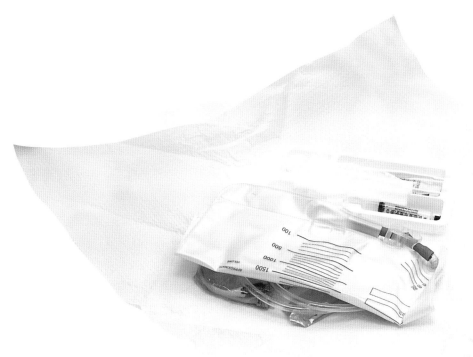

STUDY 尿道留置カテーテルと尿路感染

尿道留置カテーテルの留置期間が2週間を超えると、ほぼ全例に尿路感染がみられるといわれる（カテーテル関連尿路感染症：CAUTI）。尿道カテーテルを留置したら常に適応を念頭に置き、適応から脱した際には早期に抜去する。

早期の抜去がCAUTIはもちろん、ADL低下・精神的苦痛などの合併症をも防ぐことになる。

CAUTIの起因菌は、カテーテルの外側・内側のいずれかのルートにより膀胱内に達する。

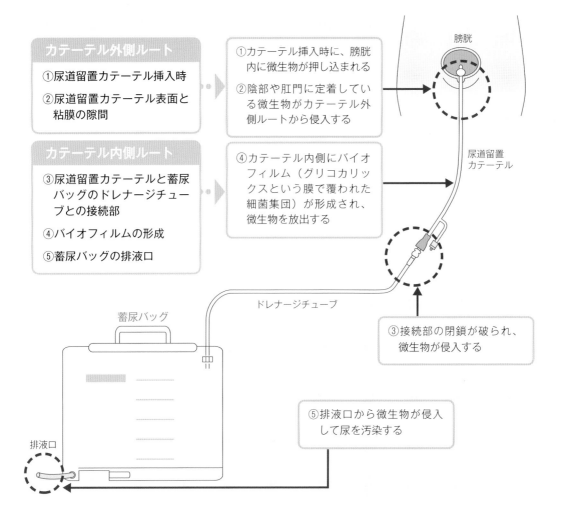

カテーテル外側ルート
①尿道留置カテーテル挿入時
②尿道留置カテーテル表面と粘膜の隙間

カテーテル内側ルート
③尿道留置カテーテルと蓄尿バッグのドレナージチューブとの接続部
④バイオフィルムの形成
⑤蓄尿バッグの排液口

①カテーテル挿入時に、膀胱内に微生物が押し込まれる
②陰部や肛門に定着している微生物がカテーテル外側ルートから侵入する

④カテーテル内側にバイオフィルム（グリコカリックスという膜で覆われた細菌集団）が形成され、微生物を放出する

膀胱
尿道留置カテーテル
ドレナージチューブ
蓄尿バッグ
排液口

③接続部の閉鎖が破られ、微生物が侵入する

⑤排液口から微生物が侵入して尿を汚染する

POINT

■ 高齢者は加齢による細胞性免疫の減少により、感染に対する抵抗力が低下し、易感染状態にある。細菌の侵入経路を理解し、感染対策を徹底する。

■ カテーテルを留置している患者全員の必要性を見直し、できるかぎり失禁ケアや自然排尿を促すケアへ移行する。

EVIDENCE

■ 米国のICUでの調査によると、不要な留置をやめたところ、尿道留置カテーテル関連感染症の発生が減少した（文献13）。

■ 閉鎖式カテーテルを使用し、30日目には100％の患者に尿道留置カテーテル関連感染症が認められた（文献14）。

CHECK! 尿路感染症以外の合併症

尿道へのカテーテル留置は、尿路感染症以外にも尿路結石、尿道損傷や狭窄、尿道皮膚瘻、膀胱刺激症状、萎縮膀胱など、さまざまな合併症の誘因となる。
尿路感染症とその他の合併症を防止するためにも、カテーテルの早期抜去が求められる。

男性の尿路

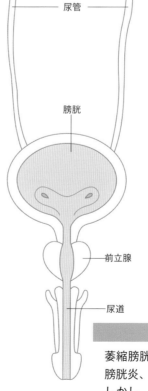

腎臓
腎盂
尿管
膀胱
前立腺
尿道

尿路結石

尿路結石は、尿中に排泄された物質が結晶化して生じる。尿路感染を認める場合には、尿はアルカリ性となり結石を生じやすくなる。

尿道損傷

カテーテル挿入時に尿道内でバルーンを膨らませたり、挿入困難時に無理にカテーテルを押し込むなどの操作により、尿道損傷が起こる。

尿道狭窄

経尿道的手術や尿道ブジー、カテーテル挿入時の尿道内操作により尿道に断裂や裂傷を生じると、治癒過程で組織の瘢痕化が起こり、狭窄を引き起こす。

尿道皮膚瘻

男性患者のカテーテル留置が長期化した場合、尿道内の血行障害が生じ、尿道皮膚瘻が形成されることがある。

血行障害を防止するため、カテーテルは尿道の屈曲に合わせて腹部に固定することが原則となる。

膀胱刺激症状

カテーテルやバルーンによる尿道や膀胱粘膜への刺激、細菌感染などが膀胱の無抑制収縮を誘発し、膀胱刺激症状やカテーテル周囲からの尿漏れがみられることがある。

対処法としては、カテーテルの屈曲・閉塞の有無や固定・挿入位置を確認し、カテーテルの材質を粘膜刺激の少ないものに変更する。

萎縮膀胱

萎縮膀胱の主な原因は、膀胱結核や間質性膀胱炎、治療のための放射線照射である。
しかし、長期間カテーテルを留置した場合も、常時、尿がカテーテルによって流出し膀胱に貯留されないため、膀胱容量が小さくなることがある。

尿道留置カテーテルの管理

尿道留置カテーテルを挿入している場合は、感染防止を徹底するとともに、カテーテル固定部のケアを行い、皮膚トラブルを防止する。

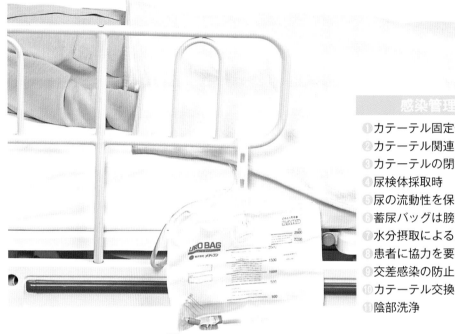

感染管理のポイント
1 カテーテル固定部のケア
2 カテーテル関連尿路感染症の観察
3 カテーテルの閉鎖性
4 尿検体採取時
5 尿の流動性を保つ
6 蓄尿バッグは膀胱より低位
7 水分摂取による尿量確保
8 患者に協力を要請
9 交差感染の防止、排液口の汚染防止
10 カテーテル交換時
11 陰部洗浄

MANAGEMENT 1 カテーテル固定部のケア

● 浮腫やドライスキンなど、皮膚が脆弱な患者では、皮膚が引っ張られた状態でのテープ固定により、水疱・表皮剥離・潰瘍を形成することがある。

● 皮膚に圧がかからない方法でテープ固定を行うことが原則だが、剥離刺激の少ないテープを選択したり、皮膚皮膜剤や皮膚保護材を使用する場合もある。

皮膚が脆弱な患者の場合

皮膜剤や皮膚保護材を使用
● 皮膚表面に被膜を作って皮膚を保護し、さらにテープの粘着力を最大限に生かすことができる。

テープを用いない固定
● テープを皮膚に貼付しないため、剥離刺激を避けることができる。

カテーテルホルダー

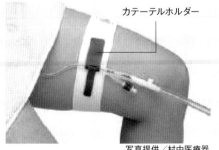

写真提供／村中医療器

MANAGEMENT ②　カテーテル関連尿路感染症の観察

● 尿道カテーテルの留置中は、カテーテル関連尿路感染症（CAUTI）の徴候（発熱、恥骨上部の圧痛、尿混濁）の有無を観察する。

POINT

■ 高齢者の場合、特異な感染徴候が出現しなかったり、自分で苦痛を訴えられない場合がある。

■ 全身状態・精神状態を観察し、意識レベルの変化など、いつもと違うサインに注意する。

MANAGEMENT ③　カテーテルの閉鎖性を保つ

● カテーテル留置後2週間以内であれば、カテーテルとドレナージチューブの接続部分を開放しないことにより、CAUTIのリスクを抑制する効果がある（文献15）。

● 閉鎖式カテーテルセットの使用はCAUTIの発生を遅延させ、短期使用の場合は100％から25％以下にまで減少させる（文献16）。

MANAGEMENT ④　尿検体採取時の注意点

● 尿検体を採取する際は、手指衛生を行い、手袋を装着する。サンプルポートを70％アルコール綿で消毒し、滅菌注射器で尿を採取する。

MANAGEMENT ⑤　尿の流動性を保つ

● 尿道留置カテーテルやドレナージチューブを閉塞させないよう注意し、常に尿の流動性を保つ。

● クランプはせず、屈曲に注意する。

MANAGEMENT ⑥　蓄尿バッグは膀胱より低位

● 蓄尿バッグやドレナージチューブは膀胱より低い位置に設置し、尿の逆流を防止する。

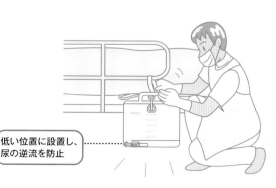

低い位置に設置し、尿の逆流を防止

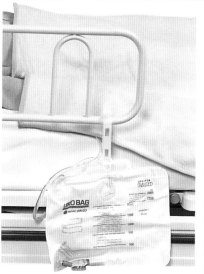

MANAGEMENT **7** 水分摂取による尿量確保

- 医学的に禁忌でなければ、1日の尿量が1,500～2,000mLとなるよう水分摂取を促す。
- 患者が水分を自発的に摂取しない場合は、時間ごとに声をかけて水分摂取を促す。

EVIDENCE

高齢者の脱水予防

- 高齢者は、排尿回数の増加や失禁を恐れ、水分を控えることが多い。さらに加齢に伴い、口渇感や口内の乾燥に対する感受性も低下している。
- 高齢者は体細胞の減少により細胞内水分（体内水分量）が減少している。
- 感覚機能の衰えにより、口渇を感じにくい。
- 以上から、高齢者は1日に必要な水分を摂取しないことがある。尿路感染予防だけでなく、脱水予防のためにも水分摂取を促す。

MANAGEMENT **8** 患者に協力を要請

- 尿道留置カテーテルが閉塞したり、蓄尿バッグ・ドレナージチューブ内の尿が逆流しないよう、患者に協力を要請する。

MANAGEMENT **9** 交差感染の防止、排液口の汚染防止

- カテーテル挿入部や尿に触れる可能性がある場合は、必ず手袋を装着し、前後の手指衛生を行って交差感染を防止する。
- 蓄尿バッグの排液口の取り扱いに注意し、逆行性感染を防止する。

POINT

- カテーテル挿入部や尿に触れる可能性がある場合には手袋を装着し、前後の手指洗浄・消毒、あるいは手指消毒を徹底する。
- 蓄尿バッグの尿を廃棄する際、排液口が不潔な容器に接触しないよう注意する。
- 異なる患者間で同じ容器を使い回さない。
- 蓄尿バッグの排液口が床に着いていると、そこから細菌が侵入し、尿を汚染する。排液口は定位置に固定し、蓄尿バッグは床に着かないよう設置する。

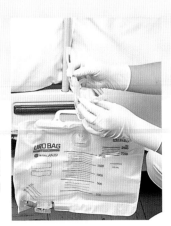

EVIDENCE

- 蓄尿バッグの排液口が尿を回収する不潔な容器に接すると、細菌がバッグ内に侵入し、尿内で増殖する。最低24時間で細菌が逆行性に膀胱内に達する（文献13）。

MANAGEMENT ⑩ カテーテル交換時

● カテーテルや蓄尿バッグを交換する際は、バッグ・カテーテルを含めた一式すべてを交換する。

● 根拠のない頻繁なカテーテル交換は、尿道内への細菌侵入の機会となる。必要時のみ交換し、定期的な交換は行わない。

MANAGEMENT ⑪ 陰部洗浄

● 陰部洗浄によりCAUTIが完全に防止できるわけではないが、会陰・直腸に定着した細菌がカテーテル表面と粘膜の隙間をぬって侵入するのを防止する効果があるといわれる。

● 皮脂腺からの分泌物が原因で悪臭を招くことがあるため、患者の清潔を保持し爽快感を得るためにも、陰部洗浄を行う。

CHAPTER 3 尿道留置カテーテルの管理

CHECK! 在宅での蓄尿バッグの管理

加齢とともに筋量は自然減少し、筋力が低下して握力は70歳で20歳代の約3/4に低下するといわれる。
蓄尿バッグの排液口は、看護師にとっては容易に開閉できるが、高齢者にとっては簡単ではない場合も多い。
患者・家族が蓄尿バッグの管理を行う場合は、入院中に排液口の開閉を練習し、清潔に確実に尿を廃棄できるよう指導する。

事前に開閉の練習

● 実施前後は石けんと流水で手をよく洗う。

● 片手で開閉できない場合は、両手で行う。

尿廃棄の指導

● 専用バケツを1つ準備し、尿廃棄後は洗剤とブラシでよく洗い、乾燥させる。

● 排液口の先端が、バケツに触れないよう注意する。

● 尿を取り扱う際には手袋とマスクを装着し、汚染物が口腔内に入ったり付着したりすることを防ぐ。

尿道留置カテーテルの管理

 蓄尿バッグが紫色に変色することがあるのは、どうして？

蓄尿バッグが紫色に変色するのは、紫色尿バッグ症候群（PUBS）であり、便秘と尿路感染症の合併により生じるといわれる。

便中のアミノ酸、トリプトファンが腸内細菌によりインドールに分解され、これが腸管から吸収されて肝臓で代謝され、インジカンとして尿中に排泄される。

このため、便秘になると尿中にインジカンが増加する。そこに尿路感染が合併すると、細菌によりインジカンから不溶性のインジゴ（青色色素）やインジルビン（赤色色素）が生成し、紫色となってプラスチックに沈着する。菌種や尿の性状によりさまざまな色調が出現する。そのため、紫色に変色したら便秘と尿路感染を疑う。

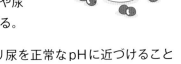 **クランベリージュースは尿路感染防止に効果がある？**

クランベリーという果実には、キナ酸という成分が多く含まれている。キナ酸により尿を酸性に保ち、細菌の繁殖を抑える効果があるといわれる。

また、クランベリーに含まれるポリフェノールには膀胱や尿路粘膜への細菌付着や定着を避ける効果があるといわれる。

また、結石には酸性/アルカリ性結石があるが、アルカリ尿を正常なpHに近づけることで結石のできにくい状態に導き、尿の臭い、濁りを軽減するとされる。

本来、クランベリーは酸味・苦味・渋味が強いため、ジュースには飲みやすくするために糖分が加えられている。飲みすぎは糖の過剰摂取となるため注意が必要である。

 カテーテル周囲から尿漏れする場合の対策は？

カテーテル周囲からの尿漏れに対して、カテーテルを太くして対処する場合がある。しかし、これは尿道を傷つけて細菌が繁殖しやすくなったり、尿道括約筋の攣縮を招いて刺激症状を増強させ、さらに尿漏れを招く。

尿漏れの原因が膀胱収縮によるものであれば、カテーテルの早期抜去を検討する必要がある。

また、カテーテルの材質、固定位置、バルーンの固定水の量を検討することで改善する場合もある。

安易にカテーテルを太くするのではなく、なぜ漏れるのか原因を明らかにして対処する。

CHAPTER 3

高齢者ケアの実際

清潔のケア

患者への手洗い指導

手指衛生は感染対策の基本である。手はさまざまな場所に触れるため、
細菌やウイルスなど微生物が付着しやすい。
その手で口や鼻などに触れると、微生物が身体へ侵入する恐れがある。
特に高齢者は、免疫機能・全身機能が低下し、易感染状態にある。
基礎疾患を持つ場合はさらに感染しやすい。
ベッド上安静、麻痺、認知機能低下などにより
自分自身で手指衛生が実施できない場合もあり、高齢者の個別性を
ふまえた手洗いを指導することが感染予防につながる。

ケアのポイント

● 手洗いの必要性と正しい手洗い方法について、入院時より指導する。

● パンフレットなどを用いて、視覚的にわかりやすい方法で指導する。

● 患者のADL・認知力に合わせて、個別性をふまえた指導を行う。

STUDY　加齢に伴う易感染状態の増強、加齢に伴う免疫機能の変化

高齢者は加齢とともに胸腺が変化し、リンパ球の一種であるT細胞が減少、免疫機能が低下して感染しやすくなる。

T細胞は胸腺で分化・成熟する細胞で、免疫機能を担っている。

同時に、全身機能の低下による循環障害・低栄養・嚥下機能低下・皮膚機能低下などにより、易感染状態は強まる。

また、糖尿病や心疾患、慢性閉塞性呼吸器疾患など基礎疾患を持つ場合には、さらに易感染状態が増強する。

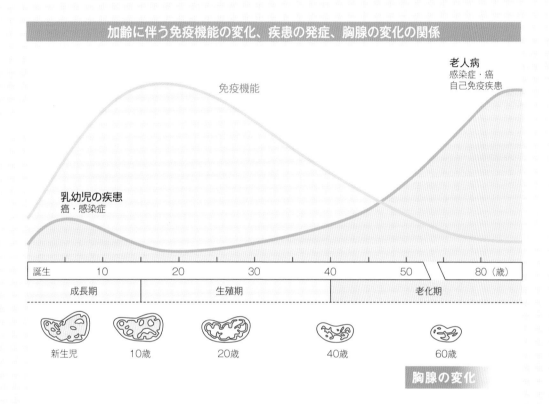

加齢に伴う免疫機能の変化、疾患の発症、胸腺の変化の関係

廣川勝昱：免疫系からみた老化.
日野原重明, 井村裕夫監修, 井藤英喜編集：看護のための最新医学講座 第2版 第17巻. 老人の医療. 中山書店, 2005, p29より

免疫機能は思春期ごろにピークに達した後、20歳を過ぎると徐々に低下し始め、40歳代でピークの50%、70歳でピークの10%前後に低下することもある。

高齢になると、特に新しい感染源に出合った時の免疫系の反応が低く、重症の感染症になることが多い。

手洗い指導の実際

高齢者への手洗い指導は、認知機能や麻痺の有無、
洗面所への移動が可能かなど、一人ひとりの個別性に合わせて行う。
リーフレットを活用し、歌に合わせて手洗い動作を覚えるなどの工夫も効果的である。

PROCESS **1** 必要物品の準備

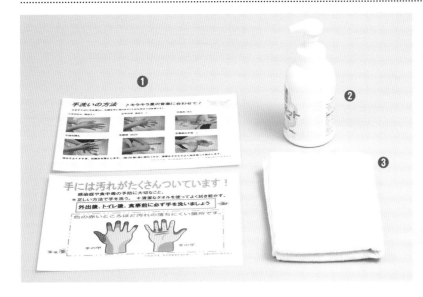

❶ 指導用リーフレット
❷ 洗浄剤
❸ 患者用のタオル

POINT

■ ペーパータオルでの水分除去が望ましいが、自宅での継続実施を考慮し、タオルでの指導を行う。

PROCESS **2** 手洗いの説明と実施

3-1

POINT

■ イラストや写真入りのリーフレットで説明した後、実践に移るとスムーズである。

❶ リーフレットを用いて、手洗いの方法、手の汚れの残りやすい箇所などを説明する。

❷ 洗面所に移動し、手順をのせたリーフレットをみながら、看護師もともに手洗い動作を行って説明する。

P O I N T
歌いながら手洗い動作
■ 手洗いの動作は、高齢者に親しみある童謡の曲などに合わせ、動作を歌詞として歌いながら行うとスムーズである。

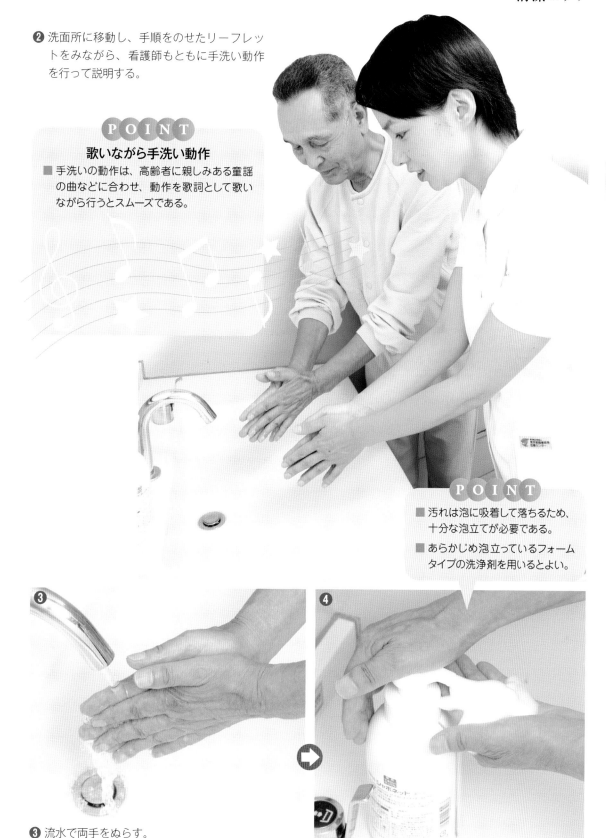

P O I N T
■ 汚れは泡に吸着して落ちるため、十分な泡立てが必要である。
■ あらかじめ泡立っているフォームタイプの洗浄剤を用いるとよい。

❸ 流水で両手をぬらす。

❹ 洗浄剤を手にとって、十分に泡立てる。

きらきら星の曲にのせて
きらきら星の曲にのせ、動作を歌詞として歌いながら手を洗う。

❺ ♪てのひら　あらおう

❺ 両手のひらをこすり合せる。

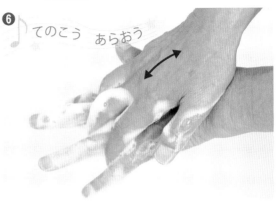

❻ ♪てのこう　あらおう

❻ 片手の甲に反対側の手を乗せ、指を組んでこすり合わせる。手を替えて同様に行う。

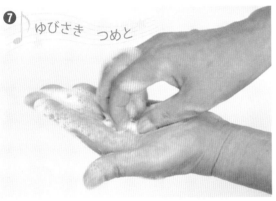

❼ ♪ゆびさき　つめと

❼ 片方の手のひらに、片手の指先・爪をこすりつけて洗う。手を替えて同様に行う。

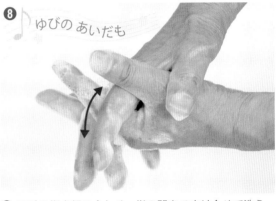

❽ ♪ゆびの　あいだも

❽ 両手の指を組み合わせ、指の間をこすり合せて洗う。手を替えて同様に行う。

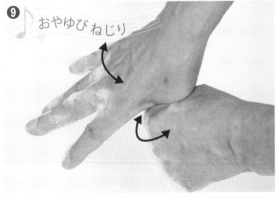

❾ ♪おやゆびねじり

❾ 片方の母指を、もう片方の手で握り、両手を同時に回転させて洗う。手を替えて同様に行う。

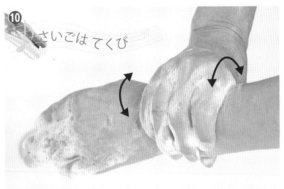

❿ ♪さいごは　てくび

❿ 片方の手首を、もう片方の手で握り、両手を同時に回転させて洗う。手を替えて同様に行う。

●POINT
■ 歌いながら、30秒以上時間をかけてゆっくりと洗う。
■ 歌いながら行うと、洗い残しがなくなる。

EVIDENCE
■ 石けんと流水による手洗いにより、細菌数は15秒で1/4〜1/13、30秒で1/60〜1/600に減少する（文献27）。

❶ 流水で石けん分を十分に洗い流す。指の間、手首も忘れずに洗い流す。

EVIDENCE

■ 洗浄剤が残っていると、細菌を含む汚れの残存につながる。

■ 皮膚に残った洗浄剤は肌荒れを招き、細菌付着の原因となる。

❷ よく乾燥した清潔なタオルを用意し、押さえるようにして水分を除去する。

EVIDENCE

■ タオルが湿っていると、緑膿菌などの繁殖につながる。

CHAPTER 3 患者への手洗い指導

CHECK! 石けんと流水による手洗い前後の細菌の変化

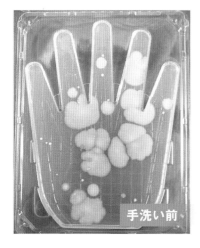
手洗い前

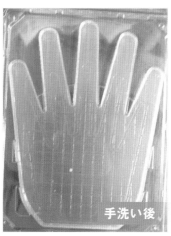
手洗い後

手洗い前
黄色ブドウ球菌やセレウス菌など、さまざまなタイプの菌が付着している。

手洗い後
30秒かけて、石けんと流水による手洗いを行った後は、菌がほぼ洗い流されている。

東京都健康長寿医療センター
平成20年度パームチェック結果より

患者の状態に合わせた手洗い指導

ベッド上安静の患者、片麻痺がある患者など、個別の状態に合わせて
手洗い指導を行う。

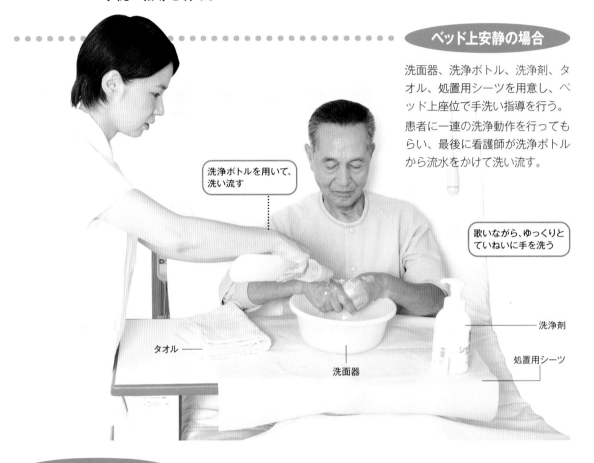

ベッド上安静の場合

洗面器、洗浄ボトル、洗浄剤、タオル、処置用シーツを用意し、ベッド上座位で手洗い指導を行う。

患者に一連の洗浄動作を行ってもらい、最後に看護師が洗浄ボトルから流水をかけて洗い流す。

洗浄ボトルを用いて、洗い流す

歌いながら、ゆっくりとていねいに手を洗う

タオル

洗面器

洗浄剤

処置用シーツ

片麻痺がある場合

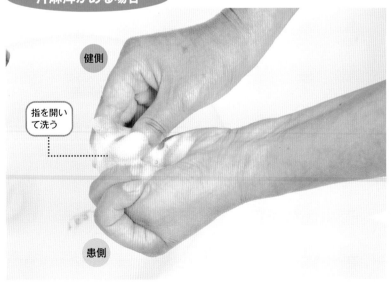

健側

指を開いて洗う

患側

片麻痺がある場合は、健側の手で麻痺側の手指を1本ずつ開きながら洗う。

流水で洗い流す際、水分を除去する際も、健側の手で麻痺側の指を広げ、指の間を十分に洗い流し、水分を除去する。

EVIDENCE

■ 麻痺側の拘縮した手の内側は、不潔になりやすい。

■ 麻痺側の拘縮した手の内側に水分が残ると乾燥しにくく、白癬菌などに感染する原因となる。

スキンケア

皮膚に障害が生じれば、疼痛や掻痒感により活動低下・食欲低下・
睡眠障害などを引き起こし、夜間不穏につながる場合がある。
また、皮膚の状態は精神状態にも影響を及ぼす。
外観の変化から人間関係や活動範囲の狭小化につながり、
日常生活そのものも障害されることになる。
高齢者は皮膚障害による苦痛を訴えられない場合がある。
毎日皮膚を観察し、病態に応じた治療やケアを行うとともに、予防的
スキンケアにより皮膚トラブルを防止することがQOLの向上につながる。

スキンケアの定義

スキンケアとは皮膚から刺激物・異物・感染源などを取り除く洗浄、皮膚と刺激
物・異物・感染源などを遮断したり、皮膚への光熱刺激や物理的刺激を小さくす
る被覆、角質層の水分を保持する保湿、皮膚の浸軟を防ぐ水分除去などである（日
本褥瘡学会）。

予防的スキンケア

● 脆弱な皮膚を理解し、皮膚トラブルを生じる可能性を考慮して、低下した生理
機能を補うスキンケアをいう。

治療的スキンケア

● 障害を起こした皮膚を理解し、治癒を促進する環境調整を行うなど、創傷ケア
の応用もかねたスキンケアをいう。

STUDY 皮膚の構造・生理と高齢者の特徴

皮膚は表皮・真皮・皮下脂肪層からなり、真皮には汗腺や皮脂腺が分布している。皮膚には外界の刺激から身体内部を守るための保護作用、免疫機能、保湿・体温調節、知覚、分泌・排泄作用がある。

高齢者の皮膚は、細胞の分裂機能の低下、細胞数減少、分泌作用の低下などにより脆弱であり、皮膚が薄く、ドライスキンに傾き、さまざまな生理機能が低下した状態にある。

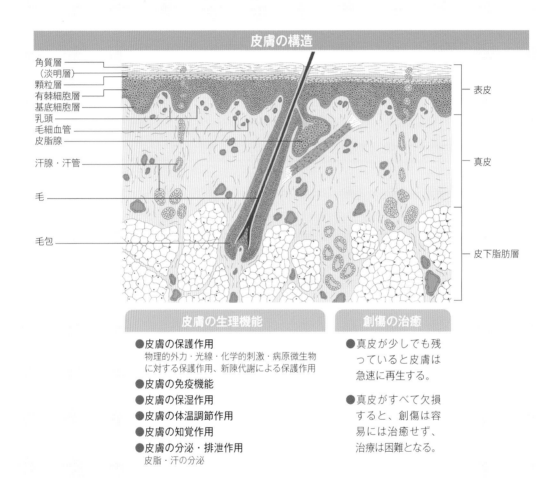

皮膚の構造

角質層 （淡明層） 顆粒層 有棘細胞層 基底細胞層 乳頭 毛細血管 皮脂腺	表皮
汗腺・汗管	真皮
毛	
毛包	皮下脂肪層

皮膚の生理機能

●皮膚の保護作用
　物理的外力・光線・化学的刺激・病原微生物に対する保護作用、新陳代謝による保護作用
●皮膚の免疫機能
●皮膚の保湿作用
●皮膚の体温調節作用
●皮膚の知覚作用
●皮膚の分泌・排泄作用
　皮脂・汗の分泌

創傷の治癒

●真皮が少しでも残っていると皮膚は急速に再生する。

●真皮がすべて欠損すると、創傷は容易には治癒せず、治療は困難となる。

高齢者の脆弱な皮膚の特徴

◆表皮（角質）細胞の分裂機能が低下　▶ 新陳代謝の低下

◆顆粒層と基底層の間にある有棘細胞層が減少　▶ 皮膚が薄くなる

◆角質水分層が減少　▶ ドライスキンに傾く

◆皮脂成分の分泌低下　▶ バリア機能の低下、ドライスキンに傾く

◆ランゲルハンス細胞数が減少　▶ 外部から侵入してくる異物への免疫反応が低下する

◆真皮の膠原線維が減少　▶ 皮膚の張りが低下し、しわやたるみとなる

◆皮下脂肪層の脆弱化　▶ 物理的外力に対するクッション効果や体温喪失の遮断や熱産生、エネルギーの保存という機能も低下する

◆表皮の下面にある凹凸（表皮突起）の先端には毛細血管があり、凹凸がはっきりしているほど肌に必要な栄養が表皮細胞に受け渡されるが、この突起が扁平化する。　▶ 創傷は治りにくく、容易に表皮が剥離する

C H E C K ! ドライスキンと保湿剤の効果

ドライスキンは、さまざまな有害物質や刺激物が侵入しやすいだけでなく、
外力を受けやすくなり、些細な外力によって損傷される可能性がある。
さらに、夜間睡眠時の温熱刺激により搔痒感が増し、
睡眠障害をきたし、夜間せん妄につながる場合がある。
ドライスキンは保湿剤を適量塗布し、皮膚を保護する必要がある。

若い人の皮膚

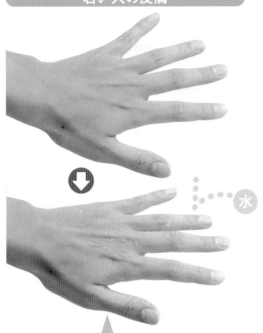

バリア機能保持

●若い人の皮膚はバリア機能が保持され、素肌である程度水をはじく能力がある。

高齢者の皮膚

バリア機能低下

●高齢者の皮膚はバリア機能が低下し、ドライスキンに傾くため、水をはじきにくい。

保湿クリーム塗布

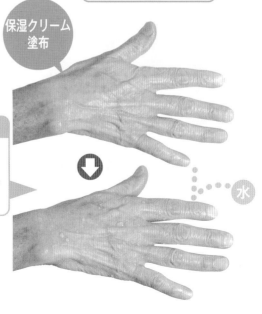

保湿クリームの効果

●高齢者の皮膚に保湿クリームを十分に塗布すると、皮膚表面がてかりを帯びる。
●保湿クリームを塗布した手に、水をたらすと、若い人の皮膚のように、水をはじくのが観察される。

CHECK! 入浴時の環境調整

入浴は皮膚の清潔を保持し、
循環を促して生理機能を保つために大切なケアである。
ただし、入浴は血圧の変動をきたしやすいだけでなく、高すぎる湯温による
洗浄はドライスキンの原因となる。
さらに、入浴後は水分を補給し、脱水を予防する必要がある。

室温調整

● 血圧は入浴中は上昇、浴室を出た直後、一時的に下降する。脱衣所が寒いと、再度血圧は上昇する。

● 急激な温度変化による血圧変動により、失神・心筋梗塞や脳卒中などを引き起こすヒートショックに留意する。

● 季節を問わず、脱衣室と浴室の温度差を小さくする。

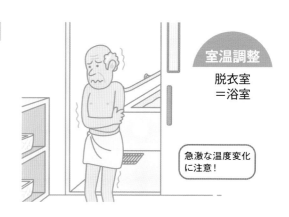

室温調整

脱衣室
＝浴室

急激な温度変化に注意！

湯温

● 湯の温度が高すぎると、血圧上昇をきたす。

● 高温での洗浄は過剰に皮脂を除去し、ドライスキンの原因となる。

● 適温は38～40度である。

湯温が高すぎると血圧上昇！

湯温

38～40℃

水分補給

● 入浴時は大量に発汗するため、入浴後の水分補給が重要である。

好みの飲み物を！

水分補給

入浴時
→発汗

CHECK! 石けん・洗浄剤の選択

石けんや洗浄剤は汚れだけでなく、皮膚表面の皮脂膜（弱酸性）も除去してしまう。
皮脂膜は皮膚表面をコーティングし、バリア機能を維持する大切な働きをしている。
バリア機能とは、細菌の繁殖抑制、細菌や紫外線など外部からの
刺激の侵入防止、水分の出入りの調整などの働きである。
健常の皮膚は、アルカリ性・弱アルカリ性の洗浄剤を使用しても、
一時的にアルカリ性に傾くが、アルカリ中和能により弱酸性に戻るため、
洗浄剤をきちんと洗い流せば、問題はない。
脆弱な皮膚、疾患のある皮膚、皮脂の分泌量が少ない場合は
アルカリ中和能も低下している。
皮膚のバリア機能を維持するためには、
皮膚と同じpHである弱酸性の洗浄剤を用いるのが望ましい。

洗浄剤の種類	特　徴	適　応
アルカリ性 弱アルカリ性	●脱脂力が強く、汚れ落ちに優れる	●定期的な清潔ケアが困難で、汚染が強い患者 ●皮脂が過剰な患者
弱酸性 低刺激性	●皮膚のpHと同じ弱酸性 ●脱脂力が弱い	●皮脂が少なく、アルカリ中和能が低下したアトピー性皮膚炎などの皮膚疾患 ●乾燥肌、脆弱な肌

低刺激性洗浄剤

●一般の薬局では販売されていない低刺激性
　洗浄剤がある。脆弱な皮膚の保護と洗浄時
　間短縮のために使用することがある。

写真提供／
コロプラスト株式会社

写真提供／
アルケア株式会社

写真提供／
スミス・アンド・ネフュー株式会社

写真提供／
株式会社ベーテル・プラス

皮膚の洗浄

本項では、便失禁の際の臀部の洗浄法を紹介する。
きめ細かな泡でやさしく洗浄した後、十分に洗い流し、水分を除去して、
保湿剤や撥水性クリームなどを塗布することがポイントとなる。

PROCESS **1** 必要物品の準備（便失禁後の臀部洗浄）

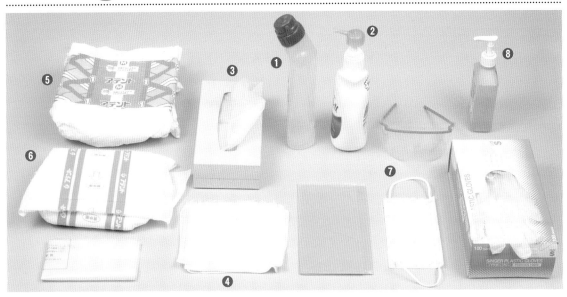

❶ 微温湯入り洗浄ボトル ❹ ガーゼ ❼ 手袋・ビニールエプロン・マスク・ゴーグル
❷ 洗浄剤 ❺ 新しいおむつ ❽ 擦式手指消毒剤
❸ お尻拭き・ティッシュペーパー ❻ 軟便パッド ❾ 皮膚皮膜剤、保湿・撥水性クリームなど（必要時）
*本項では撥水効果のある保湿クリーム（セキューラ®DC）を使用する。

PROCESS **2** 患者への説明と準備

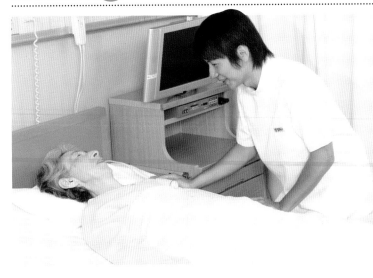

事前に排泄の意思・時間・タイミングを調整し、確認しておく。

患者にこれから行うケアについて、目的・方法・所要時間などを説明する。

P O I N T

■ 洗浄剤などのスキンケア用品、失禁ケア用品などは、患者・家族に必要性や費用などを十分に説明してから購入する。

PROCESS ③ 洗浄の実施と水分除去

3-2

❶

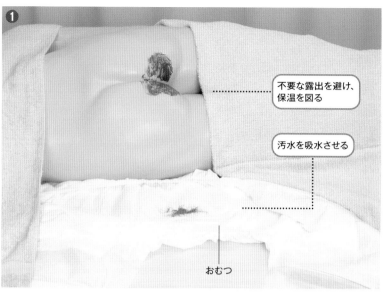

> 不要な露出を避け、保温を図る

> 汚水を吸水させる

おむつ

❶ 看護師は手洗いをして必要物品を準備し、手袋・マスク・ビニールエプロン・ゴーグルを装着する。

カーテンを閉め、患者の臀部を露出して側臥位になってもらう。

この際、バスタオルなどを用いて不要な露出を避け、保温に努める。

汚れたおむつは広げて、汚水を吸水させる。

❷

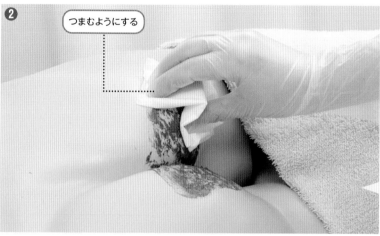

> つまむようにする

❷ 臀部についた排泄物を、お尻拭きやティッシュペーパーでつまむようにして取り除く。

POINT

- 皮膚をこすらずに、そっとつまむようにする。
- 排泄物を周囲へ広げないよう注意する。

❸

❸ 柔らかいガーゼハンカチやタオルなどに微温湯を含ませて洗浄剤をつけ、もむようにして泡立てる。きめ細かな泡を十分に作る。

EVIDENCE

きめ細かな泡を作る

- きめ細かな泡は毛穴の奥まで洗浄成分を届け、汚れを逃さず包み込み除去する。
- 泡がクッションの役目を果たし、過度の摩擦を防ぐ。
- 泡立ちがしっかりしていると、すすぎが楽である。

ビニール袋に洗浄剤と微温湯を入れ、上下に振ると簡単にきめ細かな泡を作ることができる。

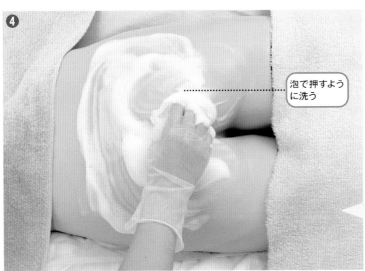

❹ きめ細かな泡を臀部につけ、泡でやさしく皮膚を押すように洗浄する。

泡で押すように洗う

POINT

- ■ ゴシゴシこすらず、泡で皮膚を押すように洗う。
- ■ 汚染部だけでなく、臀部全体を洗う。
- ■ 臀部の割れ目、肛門部もていねいに洗う。

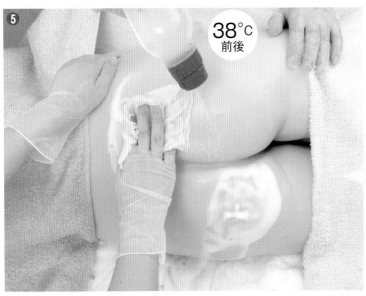

38°C 前後

❺ 微温湯をかけて、洗浄剤を十分に洗い流す。湯の温度は、過剰に皮脂を除去しないため、38度前後とする。

POINT

- ■ 湯温が高すぎると過剰に皮脂を除去し、低すぎると末梢血管を収縮させてしまう。
- ■ 洗浄剤の成分が残ると皮膚が乾燥しやすく、炎症の原因となる。湯の量は最低でも500mLを使用し、たっぷりの湯で洗浄する。
- ■ 排泄物の皮膚への付着を防ぎ、皮膚の生理機能を維持することが重要である。

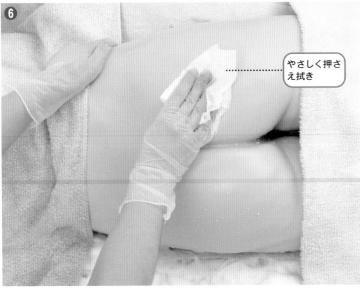

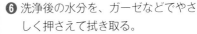
やさしく押さえ拭き

❻ 洗浄後の水分を、ガーゼなどでやさしく押さえて拭き取る。

POINT

水分除去で浸軟を防ぐ

- ■ 浸軟するとバリア機能が破壊され、外界からの微生物や異物が侵入しやすくなる。そのほか、表皮と真皮の結びつきがルーズになり、容易に表皮剥離をきたす。
- ■ 陰部・臀裂など、皮膚と皮膚が重なる部位は汗や分泌物が付着し、水分の拭き取りも不十分になりやすく浸軟を起こしやすいので注意する。
- ■ 摩擦を与えず、押さえ拭きで水分を除去する。

PROCESS ④ 保湿剤の塗布 3-3

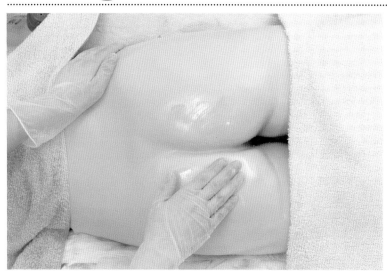

臀部の水分を除去したら、手袋を交換し、適量の保湿クリームを塗布する。

洗浄により失われた水分・脂分を補い、ドライスキンにより起こるさまざまな症状を予防する。

また、撥水効果により、尿や便の皮膚への付着を防止する。

CHAPTER 3 スキンケア

EVIDENCE
保湿剤によりドライスキンを予防

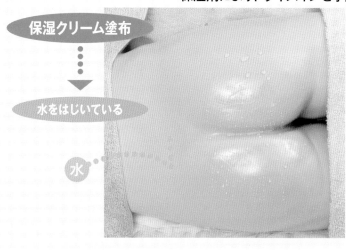

保湿クリーム塗布

水をはじいている

水

■ ドライスキンになるとバリア機能が破綻し、さまざまな有害物質・刺激物が侵入しやすくなるだけでなく、些細な外力により皮膚が損傷しやすくなる。

■ 保湿剤を必要な部位に塗布することで、水分・脂分を与えて保湿し、ドライスキンを予防・改善することができる。

■ 保湿によりバリア機能を維持し、皮膚を保護することができる。

■ 頻回な便・尿失禁がみられる場合は、保湿剤より撥水性クリームを塗布し、撥水させるとよい。

POINT
保湿剤の扱い

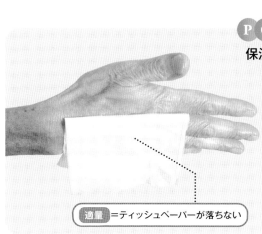

■ 皮膚に塗布する保湿剤の適量とは、ティッシュペーパーがピタッと皮膚に付着する程度、しっとりする程度をいう。

■「べたべたする」という理由から、保湿剤を少量しか塗布しない患者が多いので、注意する。

■ 油脂性基材の軟膏（白色ワセリン、アズノール軟膏、亜鉛華軟膏等）の使用で、おむつやパッドが目詰まりを起こして尿の吸収の妨げになっている場合は、皮膚被膜剤やクリームタイプの撥水性外用薬の使用が望ましい。

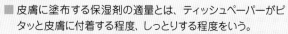

適量＝ティッシュペーパーが落ちない

CHAPTER **3**
高齢者ケアの
実際

褥瘡のケア

褥瘡は、外力により骨と皮膚表層間の軟部組織の血流が
低下あるいは停止し、不可逆的な阻血性障害が原因となり発生する。
褥瘡は老年症候群の1つである。
長期療養や一時的な安静が持続すると、筋萎縮・骨萎縮・皮膚萎縮、
関節可動域減少に伴う拘縮・変形、さらに心肺機能・消化機能・排尿機
能低下といった廃用症候群を引き起こす。
これをベースに老年症候群は生じるため、廃用症候群の予防が
褥瘡予防へとつながる。

ケアのポイント

褥瘡がない場合

● **全身および圧迫されていた皮膚を観察する。**

● **褥瘡発生を予測する。**
　● ブレーデンスケール・OH スケール・K 式スケール
　● 厚生労働省危険因子評価

● **危険因子を除去する。**
　● 圧迫やずれの排除、体位変換、ポジショニング、体圧分散寝具の使用、予防的スキン
　　ケア、栄養改善など

褥瘡がある場合

● **全身および圧迫されていた皮膚を観察する。**

● **褥瘡の重症度、経過を評価する。**
　● NPUAP 分類・DESIGN-R® 2020

● **新たな部位への褥瘡発生・治癒遅延を予測する。**
　● ブレーデンスケール・OH スケール・K 式スケール

● **危険因子を除去し、早期治癒を促すケアを行う。**
　● 圧迫やずれの排除、体位変換、ポジショニング、
　　体圧分散寝具の使用、治療的・予防的スキンケア、
　　栄養改善など

STUDY　褥瘡発生の要因

褥瘡は基礎疾患や低栄養などの全身的要因、皮膚の摩擦やずれといった局所的要因、介護力不足などの社会的要因により発生する。

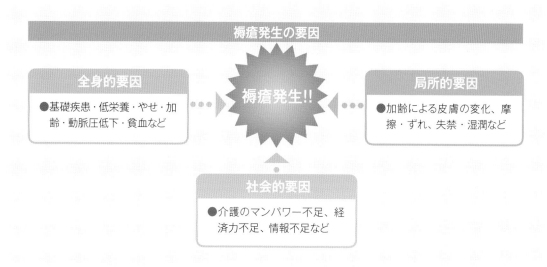

褥瘡発生の要因

全身的要因
●基礎疾患・低栄養・やせ・加齢・動脈圧低下・貧血など

褥瘡発生!!

局所的要因
●加齢による皮膚の変化、摩擦・ずれ、失禁・湿潤など

社会的要因
●介護のマンパワー不足、経済力不足、情報不足など

STUDY　褥瘡の好発部位

褥瘡は、骨と皮膚表層間の軟部組織の血流障害により発生するため、解剖学的に骨の突出部が好発部位となる。
仰臥位では仙骨部が代表的な好発部位であり、そのほか、体位に応じて体圧のかかる骨の突出部位に褥瘡が発生しやすい。

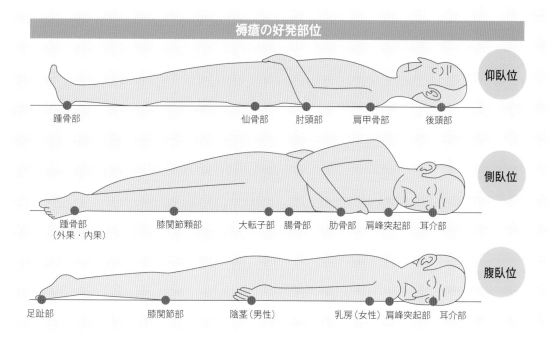

褥瘡の好発部位

仰臥位
踵骨部　仙骨部　肘頭部　肩甲骨部　後頭部

側臥位
踵骨部（外果・内果）　膝関節顆部　大転子部　腸骨部　肋骨部　肩峰突起部　耳介部

腹臥位
足趾部　膝関節部　陰茎（男性）　乳房（女性）　肩峰突起部　耳介部

3-4 褥瘡の処置

本項では、炎症のある褥瘡の処置法を紹介する。
薬剤は、在宅ケアで多く用いられる外用薬 (軟膏) を用いた処置について解説する。

PROCESS 1 患者への説明

3-5

患者に褥瘡の処置を行うことを説明し、同意を得る。
看護師は手洗いを行い、必要物品を準備する。

ＰＯＩＮＴ

■ 処置方法・所要時間について、簡潔に説明し、同意を得る。

■ 処置にかかる時間を短縮するため、必要物品はすぐに使用できるよう準備しておく。

PROCESS 2 必要物品と患者への準備

3-6

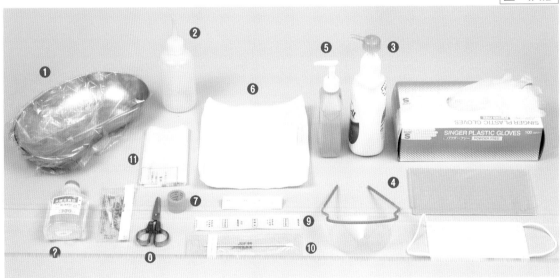

❶ おむつ・膿盆・ビニール袋など
　（洗浄時の汚水を吸水）
❷ 微温湯または生理食塩液
❸ 洗浄剤
❹ 手袋・ビニールエプロン・マスク・ゴーグル

❺ 擦式手指消毒剤
❻ ガーゼ
❼ 医療用粘着テープ（ガーゼ保護用）
❽ はさみ
❾ 舌圧子

❿ 綿棒
⓫ ビニール袋・膿盆など
　（汚物を破棄）
⓬ 記録用紙・カルテ

創傷被覆材と外用薬（一例）

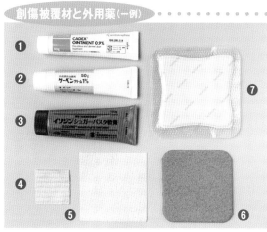

❶ カデックス軟膏®
❷ ゲーベンクリーム®
❸ イソジン®シュガー
　パスタ軟膏
❹ アクアセル®
　Agアドバンテージ
❺ アルゴダームトリオニック®
❻ メピレックス®Ag
❼ ハイドロサイト®
　ジェントル銀

外科処置を行う場合

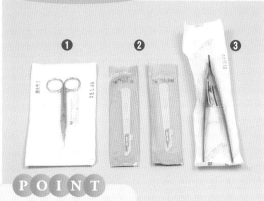

P O I N T

■ 事前に外科的処置の実施がわかっている場合には、疼痛緩和のため、処置前に薬剤を投与する場合もある。

❶ 抜糸剪刀
❷ ディスポーザブルメス
　（鋭角・鈍角）
❸ 鑷子

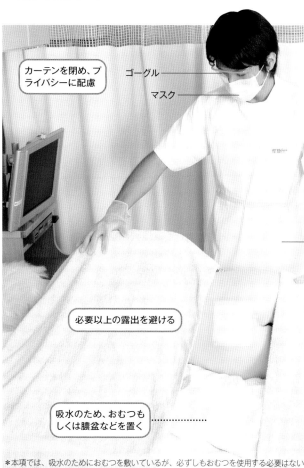

カーテンを閉め、プライバシーに配慮

ゴーグル

マスク

必要以上の露出を避ける

吸水のため、おむつもしくは膿盆などを置く

ビニールエプロン

手袋

看護師は、ゴーグル・マスク・ビニールエプロン・手袋を装着する。
カーテンを閉め、褥瘡部を露出する。この際、バスタオルなどを用い、必要以上の露出を避ける。
吸水のためのおむつ、もしくは膿盆などを置き、体位を整える。
また、室温・掛け物など、保温に配慮する。

P O I N T

保温に配慮を

■ 以下の理由から、患者の保温に配慮し、速やかに処置を終了させるよう留意する。

■ 褥瘡のある患者の多くは全身状態が低下している。

■ 高齢者は寒冷刺激に対する血管収縮、高温に対する血管拡張など体温調節反応が起こりにくく、温度変化に対する適応力が低下している。

＊本項では、吸水のためにおむつを敷いているが、必ずしもおむつを使用する必要はない。

PROCESS **3** ガーゼ・テープをはがす

3-7

| 皮膚に刺激の少ないはがし方 | 避けたいはがし方 |

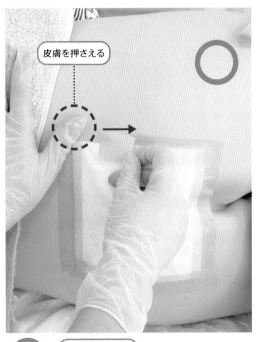

皮膚を押さえる

○ 水平にゆっくりと
やさしくはがす

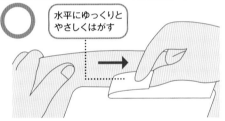

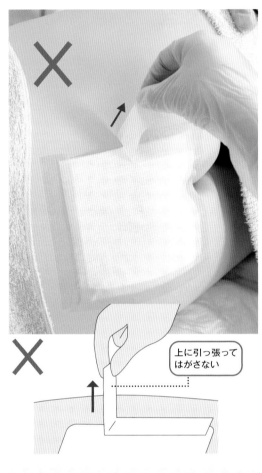

× 上に引っ張って
はがさない

皮膚を片手で押さえ、テープを垂直に引かず、できるだけ水平に傾け、ゆっくりと愛護的にはがす。ポリウレタンフィルムを使用している場合は、皮膚に対して水平の角度で、引っ張るようにしてはがす。

テープを垂直に近い角度で、上に引っ張ってはがすと、剥離刺激が強く加わり、皮膚トラブルの誘因となる。
また、片手ではがしたり、すばやく強くはがすなどの行為も、皮膚への刺激となる。

CHECK! 粘着剥離剤で皮膚にやさしく!

● 皮膚が脆弱な患者の処置や、粘着力の強いテープをはがす際は、粘着剥離剤を利用するとよい。

● 皮膚と粘着剤の隙間にスプレーして剥離刺激を和らげたり、皮膚に残った粘着剤や皮膚保護剤を除去することができる。

● シート状、リキッド状、スプレー状の製品があり、用途に応じて使い分ける。

スプレー状

リキッド状

シート状

粘着剥離剤

PROCESS ④ 創周囲・創部の洗浄 　3-8

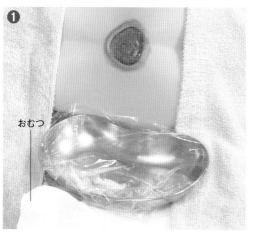

おむつ

きめ細かな泡

❶ 洗浄水を吸水するために、おむつやビニール袋で覆った膿盆などを使用する。

❷❸ 洗浄剤を手のひらに塗布し、水分を含ませ、空気を多く取り込みながら、きめ細かな泡を作る。
この際、ガーゼなどを用いてもよい。

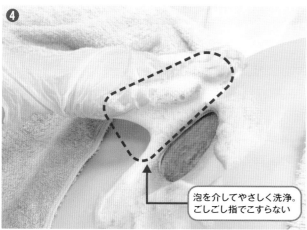

泡を介してやさしく洗浄。ごしごし指でこすらない

POINT

■ 創周囲の泡は、洗浄する前にガーゼなどで除去しておくと、創内に洗浄剤が付きにくく、"沁みる"感じや"ピリピリと痛む"つらさを軽減できる。また、洗浄も楽になる。

❹ 泡を創周囲にやさしく塗布する。泡を皮膚と指の間のクッションにして、泡で包み込むように愛護的に洗浄する。

EVIDENCE

なぜ、創周囲を洗浄するのか？
■ 創周囲は滲出液やガーゼの蒸れ、汗、排泄物などにより汚染されている。
■ 創表面だけでなく、創周囲の細菌を除去し、繁殖速度を低下させる必要がある。
■ 創感染のリスクを軽減し、上皮化を促進する。

なぜ、泡で洗浄するのか？
■ 洗浄剤が洗浄効果を発揮するのは、泡の状態である。
■ きめ細かい泡は毛穴まで洗浄成分を届ける。
■ 泡がクッションの役目を果たし、皮膚の摩擦を防ぐ。
■ きちんと泡立っていると、すすぎが容易である。

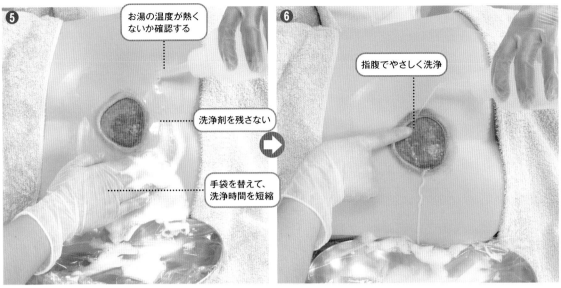

❺ お湯の温度が熱くないか確認する

洗浄剤を残さない

手袋を替えて、洗浄時間を短縮

❻ 指腹でやさしく洗浄

❺ 粘着テープで覆われていた部位より大きく、広範囲に洗浄し、洗い流す。この際、看護師は手袋を替え、すすぎ時間を短縮する。洗浄剤が残らないよう、十分に洗い流す。

❻ 創内・創表面は、微温湯（部位や創の種類に応じて生理食塩液、滅菌蒸留水を使用）をかけながら、表面のぬめりが落ちるように、指腹でやさしく洗浄する。

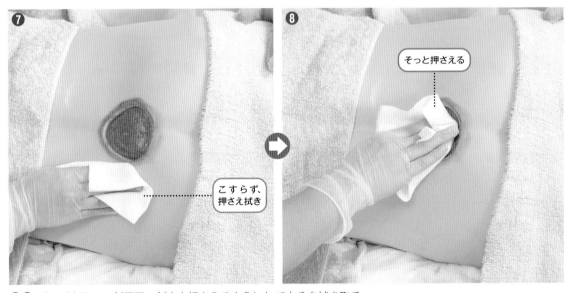

❼ こすらず、押さえ拭き

❽ そっと押さえる

❼❽ ガーゼを用い、創周囲・創内を押さえるようにして水分を拭き取る。

POINT

洗浄剤・消毒薬

- 汚れは泡に付着しているため、洗浄剤が残ると黄色ブドウ球菌などの温床となる。洗浄後は十分に洗い流す。

- 消毒薬には殺菌のほか、細胞毒という作用がある。このため感染のない清浄化した創には用いない。不必要な消毒薬の使用は、創傷治癒を阻害するので注意する。

- 膿が溜まっていたり、壊死組織が固着していたり、炎症や感染が明らかな場合以外は、湯のみでの洗浄で十分である。

ポケットを形成している場合

- 先端の細いノズルやボトルに圧をかけて、ポケット内部を洗浄する。ただし、内部が膨らまない程度の圧にする。

- 洗浄圧をかけすぎたり、奥まで綿棒を挿入するなどして、ポケットを広げないよう注意する。

PROCESS 5 褥瘡の評価

3-9

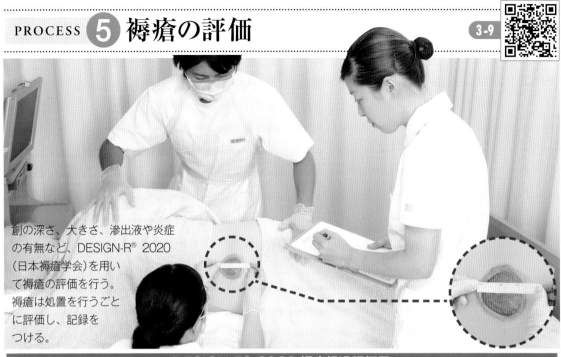

創の深さ、大きさ、滲出液や炎症の有無など、DESIGN-R® 2020（日本褥瘡学会）を用いて褥瘡の評価を行う。褥瘡は処置を行うごとに評価し、記録をつける。

DESIGN-R® 2020 褥瘡経過評価用

Depth 深さ　創内の一番深い部分で評価し、改善に伴い創底が浅くなった場合、これと相応の深さとして評価する　深さ（Depth：d,D）の得点は合計には加えない

d	0	皮膚損傷・発赤なし	D	3	皮下組織までの損傷
	1	持続する発赤		4	皮下組織を越える損傷
	2	真皮までの損傷		5	関節腔、体腔に至る損傷
				DTI	深部損傷褥瘡（DTI）疑い*1
				U	壊死組織で覆われ深さの判定が不能

Exudate 滲出液

e	0	なし	E	6	多量：1日2回以上のドレッシング交換を要する
	1	少量：毎日のドレッシング交換を要しない			
	3	中等量：1日1回のドレッシング交換を要する			

Size 大きさ　皮膚損傷範囲を測定：[長径(cm)×短径と直交する最大径(cm)]　持続する発赤の場合も皮膚損傷に準じて評価する

s	0	皮膚損傷なし	S	15	100以上
	3	4未満			
	6	4以上　16未満			
	8	16以上　36未満			
	9	36以上　64未満			
	12	64以上　100未満			

Inflammation/Infection 炎症／感染

i	0	局所の炎症徴候なし	I	3C*2	臨界的定着疑い（創面にぬめりがあり、滲出液が多い。肉芽があれば、浮腫性で脆弱など）
	1	局所の炎症徴候あり（創周囲の発赤、腫脹、熱感、疼痛）		3*2	局所の明らかな感染徴候あり（炎症徴候、膿、悪臭など）
				9	全身的影響あり（発熱など）

Granulation 肉芽組織

g	0	創が治癒した場合、創の浅い場合、深部損傷褥瘡(DTI)疑いの場合	G	4	良性肉芽が、創面の10％以上50％未満を占める
	1	良性肉芽が創面の90％以上を占める		5	良性肉芽が、創面の10％未満を占める
	3	良性肉芽が創面の50％以上90％未満を占める		6	良性肉芽が全く形成されていない

Necrotic tissue 壊死組織　混在している場合は全体的に多い病態をもって評価する

n	0	壊死組織なし	N	3	柔らかい壊死組織あり
				6	硬く厚い密着した壊死組織あり

Pocket ポケット　毎回同じ体位で、ポケット全周（潰瘍面も含め）[長径(cm)×短径*3(cm)]から潰瘍の大きさを差し引いたもの

p	0	ポケットなし	P	6	4未満
				9	4以上16未満
				12	16以上36未満
				24	36以上

©日本褥瘡学会／2020

*1 深部損傷褥瘡（DTI）疑いは、視診・触診、補助データ（発生経緯、血液検査、画像診断等）から判断する
*2 「3C」あるいは「3」のいずれかを記載する。いずれの場合も点数は3点とする
*3 "短径"とは"長径と直交する最大径"である

PROCESS **6** 軟膏塗布・ドレッシング ※軟膏をガーゼにのせて塗布する方法は動画参照。 3-10

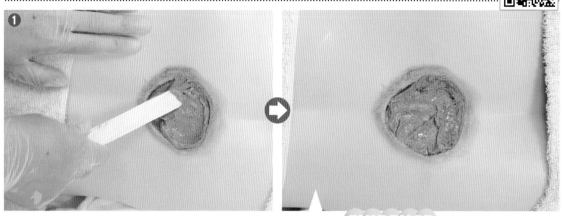

❶ 指示の外用薬（軟膏）を舌圧子を用いて創に直接塗布するか、もしくはガーゼにのせて塗布する。
この際、軟膏が創からはみ出さないよう注意する。

EVIDENCE

軟膏は、創より大きく塗布しない

■ 水分を多く含んだ軟膏は創縁の浸軟をきたす。水分が少ない固い軟膏は、創縁の乾燥をきたす。抗菌作用のある軟膏の場合、創周囲の細胞まで損傷を与えてしまう。これらは、いずれも創の収縮を妨げる。

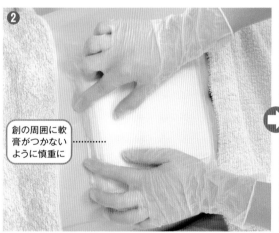

創の周囲に軟膏がつかないように慎重に

POINT

■ ガーゼの枚数が多すぎると、創部・創周囲を圧迫するので注意。滲出液が多い場合は、吸収パッドやシートなどで補助する。

❷ 適量のガーゼを創に当て、テープをガーゼに沿わせ、圧をかけずに貼付する。排泄物による汚染が予想される場合は、保護する位置や防水フィルムの使用を考慮する。

CHECK! **テープによる皮膚の圧迫に注意！**

● テープでガーゼを固定する際は、圧をかけないよう注意する。
● テープを引っ張り、圧をかけた状態で貼付すると、テープが元に戻ろうとする力が働き、皮膚表面が引っ張られて水疱を形成しやすい。
● テープは、事前に使用する長さにカットし、必要な枚数を準備しておくとよい。

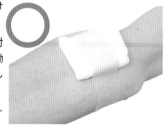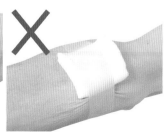

CHAPTER 3
高齢者ケアの実際

スキン-テア（皮膚裂傷）

スキン-テアとは「摩擦・ずれによって、皮膚が裂けて生じる真皮深層までの損傷（部分層損傷）をスキン-テア（皮膚裂傷）とする」(文献28) と言われており、医療・看護・介護の場面等で多く見られる創傷である。

スキン-テアを起こさないためには予防的ケアが重要であり、また、もし受傷してしまった場合は速やかなケアが必要である。

スキン-テアの該当例 (文献28)

- 四肢がベッド柵に擦れて皮膚が裂けた（ずれ）
- 絆創膏（医療用テープ）をはがすときに皮膚が裂けた（摩擦）
- 車椅子等の移動介助時にフレーム等に擦れて皮膚が裂けた（ずれ）
- 医療用リストバンドが擦れて皮膚が裂けた（摩擦）
- リハビリ訓練時に身体を支持していたら皮膚が裂けた（ずれ）
- 体位変換時に身体を支持していたら皮膚が裂けた（ずれ）
- 更衣時に衣服が擦れて皮膚が裂けた（摩擦・ずれ）
- 転倒した時に皮膚が裂けた（ずれ）
- ベッドから転落したときに皮膚が裂けた（ずれ）

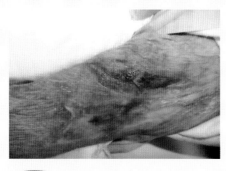 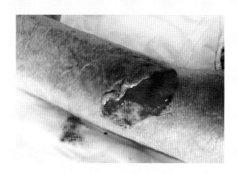

除外例 持続する圧迫やずれで生じた創傷と、失禁によって起こる創傷は除外する。

- 寝具や車椅子などによる、持続した圧迫やずれで皮膚がはがれた。【褥瘡】
- 医療機器による持続した圧迫や、ずれで皮膚がはがれた。【医療関連機器圧迫創傷】
- 失禁患者のおむつ内の皮膚が、炎症によりはがれた。【IAD：失禁関連皮膚炎】

スキン-テア受傷後の局所ケア方法

スキン-テア受傷後は、速やかな止血・洗浄など、正しい初期手当がその後の治癒を左右する。ここでは、局所ケア方法を紹介する。

PROCESS ❶ 必要物品の準備

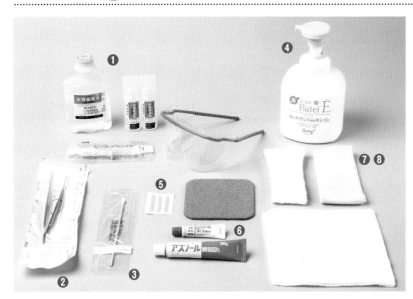

❶ 生理食塩液
❷ ピンセット
❸ 綿棒
❹ 洗浄剤
❺ 皮膚接合用テープ
❻ ドレッシング材 (もしくは外用薬・ガーゼ)
❼ 包帯
❽ ネット
など

PROCESS ❷ 処置の実施

❶ 2〜5分程度圧迫止血する。
❷ 洗浄する。

> **洗浄水**：テアは真皮までの損傷のことが多く、神経末端が露出した状態で、強く痛みを生じることがある。そのため、洗浄時のお湯は微温湯にせず、人肌に温めた生理食塩液にする。
> **洗浄剤**：洗浄剤を使用する場合は、しみにくい低刺激洗浄剤を選択する。

❸ 皮弁を残す、あるいは守る。
皮弁はピンセットや鑷子、綿棒などで元の位置にそっと戻す。

POINT

■ 皮弁を残し、戻すことで早くきれいに治癒に至る。そのため、丸まって乾燥した皮弁は生理食塩液や微温湯等で軟らかくして、可能な限り元に戻す。

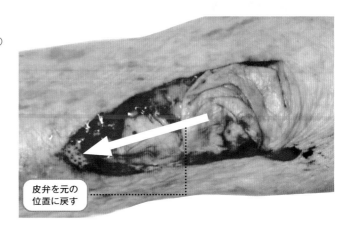

皮弁を元の位置に戻す

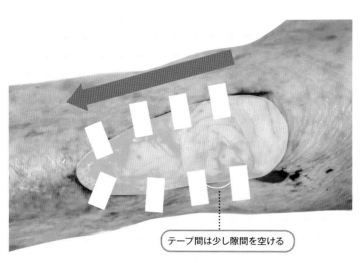

テープ間は少し隙間を空ける

❹ 皮弁を戻したら、皮弁がはがれない
ように、皮弁と皮膚を「皮膚接合用テー
プ」で固定する。

P O I N T

■ この際、テープとテープの隙間を空
けながら貼付し、浸出液を適度にド
レナージできるようにする。

❺ 傷の状態や、その時揃っている材料に応じて創部を乾燥させないよ
うに保護する。
  ●剥離刺激の少ない微粘着等のドレッシング剤の準備がある場合、
   炎症感染徴候がなく、受傷場所が汚染されていなければ、洗浄後、
   ドレッシング剤で保護をする。
  ●剥離刺激の少ない微粘着等ドレッシング剤の準備がない場合、炎
   症感染徴候があり、受傷場所が汚染されているときには、洗浄後、
   以下の外用薬をたっぷり塗布したガーゼで保護する。
   外用薬：ゲンタシン、白色ワセリン、アズノール軟膏等

P O I N T

■ 皮膚の観察をし、感染の有無や皮膚
の汚染の有無等を確認する。

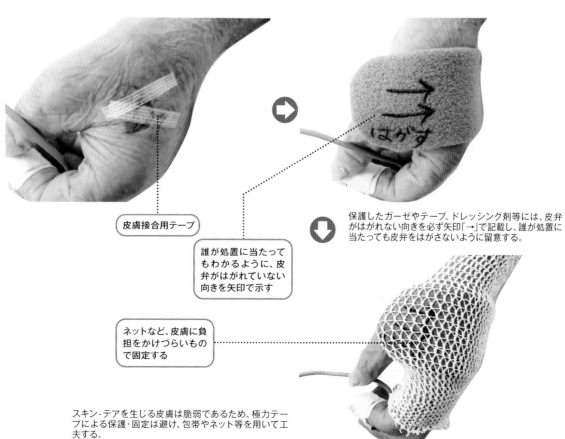

皮膚接合用テープ

誰が処置に当たって
もわかるように、皮
弁がはがれていない
向きを矢印で示す

保護したガーゼやテープ、ドレッシング剤等には、皮弁
がはがれない向きを必ず矢印「→」で記載し、誰が処置
に当たっても皮弁をはがさないように留意する。

ネットなど、皮膚に負
担をかけづらいもの
で固定する

スキン-テアを生じる皮膚は脆弱であるため、極力テー
プによる保護・固定は避け、包帯やネット等を用いて工
夫する。

PROCESS **3** 評価・記録

褥瘡評価時に使用するDESIGN-R® 2020と同様に、スキン-テアは下記のSTAR分類システムシステムで評価することが多い。受傷時から治癒に至る過程まで、創の状態だけでなく原因となっている患者の活動性やADL、ケアの状況なども記録に残す必要がある。

STAR分類システム

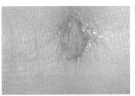

カテゴリー 1a
創縁を（過度に伸展させることなく）正常な解剖学的位置に戻すことができ、皮膚または皮弁の色が蒼白でない、薄黒くない、または黒ずんでいないスキンテア。

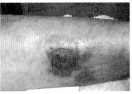

カテゴリー 1b
創縁を（過度に伸展させることなく）正常な解剖学的位置に戻すことができ、皮膚または皮弁の色が蒼白、薄黒い、または黒ずんでいるスキンテア。

カテゴリー 2a
創縁を正常な解剖学的位置に戻すことができず、皮膚または皮弁の色が蒼白でない、薄黒くない、または黒ずんでいないスキンテア。

カテゴリー 2b
創縁を正常な解剖学的位置に戻すことができず、皮膚または皮弁の色が蒼白、薄黒い、または黒ずんでいるスキンテア。

カテゴリー 3
皮弁が完全に欠損しているスキンテア。

日本創傷・オストミー・失禁管理学会:
日本語版STARスキン-テア分類システム. より転載

CHECK! 初期手当ては大切！

在宅で受傷した高齢者。ご家族が訪問看護師のアドバイスを受けて自分達で初期手当を行い、翌日医師と看護師が対応し、素早くきれいに治癒に至った一例。

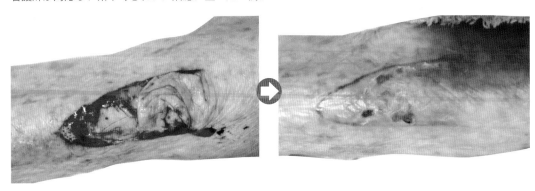

スキン-テアの予防的ケア

スキン-テアをはじめ、患者に新たに傷を作ってしまった時、受傷した患者本人は「大切な身体に傷を作られてしまった…。痛い、辛い、なんでこんな目にあうのか…」と思っていることが考えられる。また、大切な人が新たに受傷しているのを見た家族や知人等は「大切な人の身体に傷がある…。ケアが雑？乱暴？不安だな…安心して預けられない。」と思うかもしれない。

もし受傷させてしまったら、速やかにきれいに治すことが責務である。それと同時に、受傷させないケアを日々行い、予防していくことも責務だと考える。

そのためには、スキン-テア受傷リスクの高い患者を知り、早期から予防的ケアを実施していくことが重要となる。

アセスメント

受傷リスクの高い患者を判断するために、下記の項目からリスクアセスメントをするとよい。

■個体要因のリスクアセスメント

全身状態	皮膚状態
□加齢(75歳以上) □治療(長期ステロイド薬使用、抗凝固薬使用) □低活動性 □過度な日光曝露歴(屋外作業歴、レジャー歴) □抗がん薬、分子標的薬治療歴 □放射線治療歴 □透析治療歴 □低栄養状態(脱水含む) □認知機能低下	□乾燥、鱗屑 □紫斑 □浮腫 □水疱 □ティッシュペーパー様(皮膚が白くカサカサして薄い状態)

上記のうち、1項目でも該当すれば、個体要因におけるリスクありと判定する。

■外力発生要因のリスクアセスメント

患者行動 患者本人の行動によって摩擦・ずれが生じる場合	管理状況 ケアによって摩擦・ずれが生じる場合
□痙攣、不随意運動 □不穏行動 □物にぶつかる(ベッド柵、車いすなど)	□体位変換・移動介助(車いす、ストレッチャーなど) □入浴・清拭等の清潔ケアの介助 □更衣の介助 □医療用テープの貼付 □器具(抑制具、医療用リストバンドなど)の使用 □リハビリテーションの実施

上記のうち、1項目でも該当すれば、外力発生要因におけるリスクありと判定する。

日本創傷・オストミー・失禁管理学会編：ベストプラクティス スキン-テア(皮膚裂傷)の予防と管理. 照林社, p19, 2015. 表1・表2より転載

予防的ケアの方法

アセスメントを通してスキン-テアの受傷が高リスクであると判断された患者には、主に以下の3方向からのアプローチが必要となる。ここでは、外力保護ケアについて詳しく述べることとする。

栄養管理　　　**外力保護ケア**　　　**スキンケア**

外力保護ケアにおける留意点

● 環境の整備
● 安全かつ愛護的なケアの実践
● 安全な医療・介護用品などの使用

■医療用リストバンド・ネームバンド

バンドの下に綿包帯、チューブ型包帯、皮膚保護剤等で保護する。

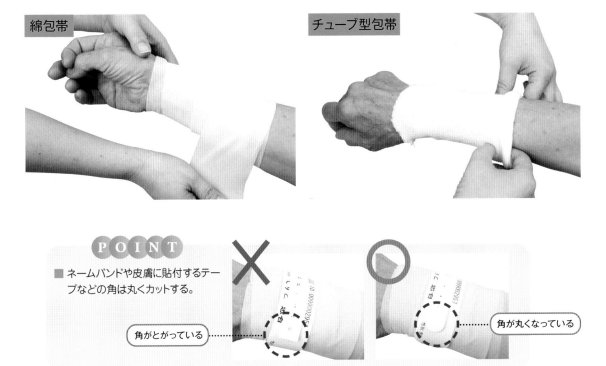

綿包帯　　チューブ型包帯

POINT

■ ネームバンドや皮膚に貼付するテープなどの角は丸くカットする。

角がとがっている　　　角が丸くなっている

■抑制具

身体拘束3原則（詳しくはp.187を参照）を用いて十分検討し、不要な抑制は行わないことが大前提であるが、要件を満たし必要に迫られて使用する際には、2次的な障害を決して起こさないよう予防ケアを行う必要がある。

リストバンド・ネームバンドと同様、抑制具による摩擦・ズレ・圧迫を生じないように、抑制具の下を綿包帯やチューブ型包帯、皮膚保護剤等で保護する。また、細やかな皮膚の観察も必要である

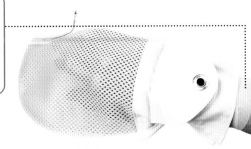

■医療用テープ

テープの貼付が必要な場面では、テープの特徴を十分理解したうえで正しく選択・貼付し、正しくはがすことを徹底する。貼付時は、あらかじめ必要な長さにカットしておき、圧をかけずにガーゼに沿わせて貼付する。

POINT

■ 高齢者の皮膚はとても脆弱である。極力テープを貼付しなくてもいいケアを検討し、実践すべきである。

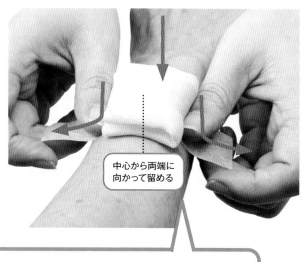

中心から両端に向かって留める

NG例

端から端に向かって留めると、皮膚が引っ張られてしまい、スキン-テアの危険性が高まる。

皮膚がテープに引っ張られて寄ってしまっている

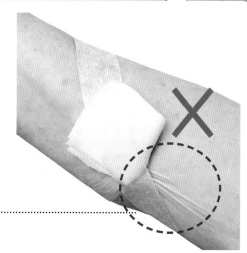

テープをはがす時の注意点

はがすときは、テープについてくる皮膚を片手で押さえ、テープの角度を90度以上にしてゆっくり愛護的に剥がす。

90度以上に倒しながらテープをはがす

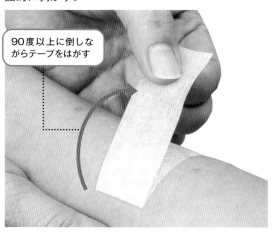

POINT

■ テープの端を折り曲げ、はがしやすくしておくとよい。

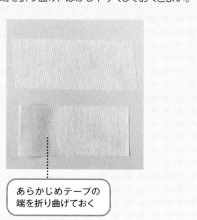

あらかじめテープの端を折り曲げておく

皮膚の保護

■寝間着・靴下・手袋

アームウォーマー、レッグウォーマー、靴下、手袋もしくはチューブ型包帯などを着用する。
肌着や寝間着は通年長袖とし、ゆとりのあるサイズや肌触り等も考慮して選択する。

チューブ型包帯

アームウォーマー

■保湿による保護

●**外用薬の塗布**
  保湿クリーム、ローション等外用薬の塗布は1日1回だけでなく、
  塗れるタイミングで数回塗布するとよい。

●**水分摂取励行、促し**
  外側からの保湿剤の塗布だけではなく、内側からの水分補給も大
  切である（1,500mL前後／日）。

●**室温／湿度の調整**
  湿度の低下は皮膚の乾燥につながり、軽微な外力でも過度の刺激
  となり皮膚の損傷につながる。

■爪切り

患者自身と看護・介護する者の爪も常に短くし、角がないように整
える。

ストーマケア

ストーマを造設した患者は、排泄経路・排泄様式の変更や
ボディイメージの変容、疾患・予後について不安・恐怖を抱いている。
精神的なケアとともに、ストーマケア習得のための
支援・指導を行うことが重要になる。
高齢者の特徴である運動機能・感覚機能・認知機能の低下や
脆弱な皮膚などを理解し、ケアを行うことが求められる。
高齢を理由にケアを他人任せにするのではなく、個人の認知機能・
運動機能に応じて、セルフケアへの支援・指導が大切である。

ストーマとは

⬤ ストーマはギリシャ語で"口"を意味し、手術によって腹壁に作られた開口部の
ことである。消化管や尿路を人為的に体外に誘導し、造設した開放孔である。

　⇒消化管＝消化管ストーマ　尿路＝尿路ストーマ

ストーマの分類

⬤ 永久的ストーマ　　　　⬤ 一時的ストーマ

ストーマとその周囲の部位名

⬤ ストーマおよびその周辺部位は、次のように用語の定義がなされている。

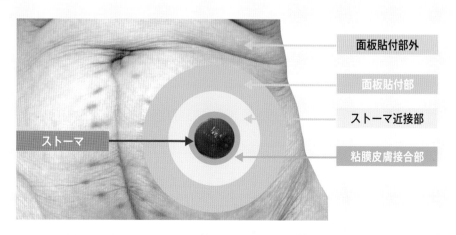

面板貼付部外

面板貼付部

ストーマ近接部

ストーマ

粘膜皮膚接合部

STUDY ストーマの種類と排泄物の特徴

ストーマには、結腸を用いて造設される結腸ストーマ、回腸を用いる回腸ストーマ、尿路変向（便）のために造設される尿路ストーマがあり、それぞれ排泄物に特徴がある。

結腸ストーマ（コロストミー）

盲腸 / 上行結腸ストーマ　横行結腸ストーマ

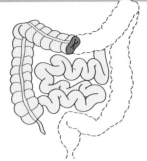

右側腹部に造設される。水様〜泥状便が排泄される。皮膚刺激があり、便臭を伴う。

腹部の中央、臍中央に造設されることが多い。半流動状〜軟便が排泄される。皮膚刺激があり便臭を伴う。

回腸ストーマ（イレオストミー）

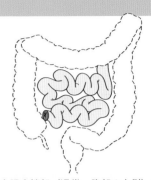

小腸末端部（通常、腹部の右側）に造設される。水様性の刺激性の高い便が排泄される。

下行結腸ストーマ　S状結腸ストーマ

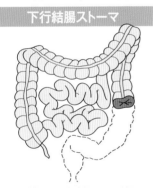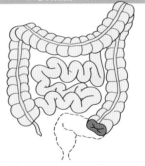

腹部の左側に造設される。便臭のある普通便が排泄される。

腹部の左側に造設される。便臭のある普通便が排泄される。

消化管ストーマ
尿路ストーマ

尿路ストーマ（ウロストミー）

回腸導管　尿管皮膚瘻（両側）　尿管皮膚瘻（一側）

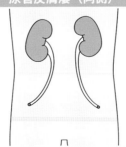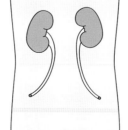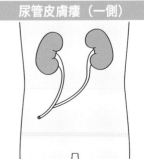

腎臓
尿管
回腸の一部

切離した回腸に尿管を吻合し、回腸末端をストーマとして腹壁に出し、装具を貼って管理する。

尿管断端を直接、腹壁に通して皮膚に吻合し、体外に導く方法。片側に一側、同側並列、両側に開口する。

3-11 装具の交換

本項では、セルフケア指導中の患者の装具交換法を紹介する。
術直後の場合は、患者の安楽や苦痛に配慮し、以下の方法や手順を手短かに、
確実に看護師が行う。

PROCESS ① 必要物品の準備と患者への説明 3-12

装具を交換することを説明し、同意を得てから、物品を運び入れる。

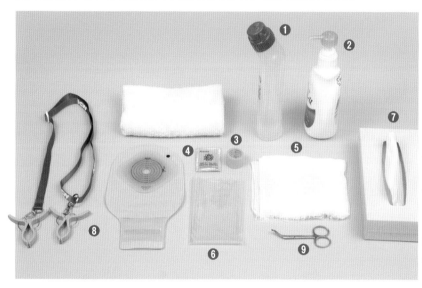

❶ 微温湯を入れた洗浄ボトル（湯の出る場所で行ってもよい）
❷ 洗浄剤（弱酸性）
❸ 絆創膏（汚水入れにビニール袋を使用し、貼付する場合）
❹ 剥離剤
❺ ガーゼハンカチ、ディスポーザブルガーゼなど（清拭用）
❻ ビニール袋（ごみ入れ・汚水入れ）
❼ 乾いたガーゼハンカチ、ディスポーザブルガーゼ、ティッシュペーパーなど
❽ 患者用の装具・アクセサリー
❾ はさみ（ホールカット用、不要な装具もある）

PROCESS ② 皮膚保護材の剥離 3-13

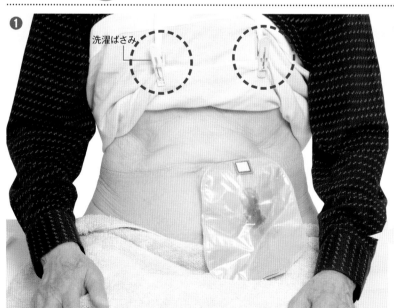

洗濯ばさみ

❶ 窓を開けたり、換気扇を回すなど、部屋ににおいがこもらないようにする。個室の場合も、羞恥心へ配慮して、カーテンを閉める。
衣服を上げてストーマ部を露出する。この際、洗濯ばさみを用いたり、衣服を後方や体側で結ぶなどして固定する。

POINT

■ ひもの両端に洗濯ばさみをつけ、首からかけて衣服を固定すると便利である。
■ 大きな洗濯ばさみはかさばるため、通常サイズの洗濯ばさみを用いるとよい。

CHAPTER **3** ストーマケア

141

❷

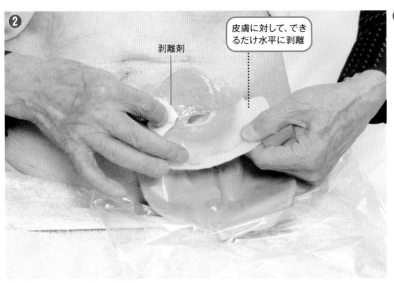

剥離剤

皮膚に対して、できるだけ水平に剥離

❸

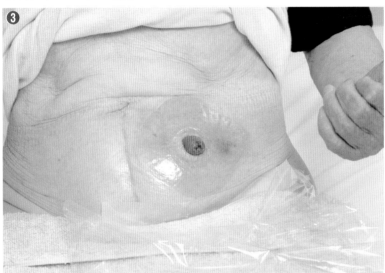

※看護師が剥離するケースは動画参照。

❷ ビニール袋を腹部に絆創膏で固定もしくはズボンにはさんで固定し、汚水やごみを入れる。おむつや防水シートを敷いてもよい。片手で皮膚を押さえ、もう片方の手で皮膚保護材をつまんで、愛護的に剥離する。

粘着が強い場合や愛護的に剥離できない場合は、水や湯でぬらしたガーゼを皮膚保護材と皮膚の間に入れ、皮膚を押さえるようにして剥離する。
剥離剤を用いる場合も多い。

❸ 剥離した皮膚保護材は、破棄する前に裏面を観察し、孔の位置や形が患者に合っているかアセスメントする。

溶解・膨潤の状態により、貼付期間が適切かどうかを判断する。皮膚保護材のストーマ孔周囲の溶解が7〜8mm以内の交換が適切である。

また、排泄物のもぐりこみ状況により、排泄物が漏れる原因を検討する。

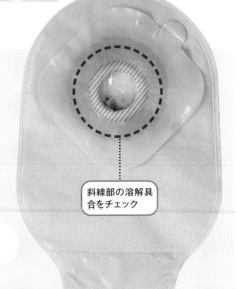

斜線部の溶解具合をチェック

POINT
剥離は愛護的に！ 剥離剤も活用！

■ 高齢者は触覚・温覚などの表在感覚、振動覚などの深部感覚の感受性が低下している。皮膚の脆弱化も重なり、容易に皮膚を損傷しやすい。

■ 皮膚保護材は、できるだけ水平に近い角度で愛護的に剥離する。

■ ぬらしたガーゼや剥離剤（シート状・リキッド状・スプレー状）を用いて剥離する。

スプレー状

リキッド状

シート状

剥離剤

PROCESS ③ 観察(術直後の場合)

`3-14`

手術直後と社会復帰後では、観察項目が若干異なる。
本項では、術直後の観察項目を中心に紹介する。

観察部位	観察項目
1 ストーマ 	●ストーマの色調 ●出血や浮腫 ●壊死の有無 ●粘膜の潤いと弾力 ●ストーマの大きさ、形状 ●排泄孔の位置・向き・高さ
2 粘膜皮膚接合部	●発赤・離開・出血・滲出液・排膿の有無と程度
3 ストーマ周囲皮膚	●発赤・発疹・びらん・潰瘍・滲出液・掻痒感・疼痛などの有無と程度
4 排泄物	●量・性状・排ガスの有無など
5 手術創の状態	●ストーマとの距離 ●炎症／感染徴候の有無と程度
6 全身状態	●発汗・発熱・腹壁の状態など

POINT

■ ストーマが薄いピンク、白っぽい色調であれば貧血が疑われる。

■ ストーマにつや、弾力がなく、しわが多くみられる場合は脱水が疑われる。

■ ストーマ造設後1年ほどは、ストーマのサイズは小さく変化する。

7 早期合併症の有無
*早期合併症とは手術直後に起こる合併症のことで、右のような状態をいう

POINT

■ ストーマ造設後の合併症は、大きく早期・晩期に分けられる。

■ 一般的に早期は術直後にみられ、晩期合併症は術後1年以後とされている。

壊死	腸管の血流が悪くなり、ストーマの色が暗黒色になる
浮腫	腸管のむくみの増強
出血	ストーマ袋内に貯留するほどの出血、持続的にみられる出血
陥没	ストーマが皮膚面より下に落ち込んでしまう状態
狭窄	ストーマ開口部が徐々に細くなり、排泄困難
膿瘍	縫合部が感染源となり膿の排出
粘膜皮膚離開	感染による離開、離開後の陥没
皮膚障害	排泄物による接触性皮膚障害、皮膚保護材によるアレルギー性皮膚障害
創感染・瘻孔・蜂窩織炎・粘膜皮膚移植など	

8 晩期合併症	
ストーマ粘膜過形成	ストーマ粘膜の局所的な過形成
ストーマ粘膜皮膚移植	ストーマ周囲の皮膚に、腸管粘膜が島状に独立して認められる状態、あるいはストーマから連続的に広がった状態で認められる
偽上皮腫性肥厚	尿が漏れて長期間皮膚に接触すると、皮膚が浸軟し肥厚が起きる
ストーマ傍ヘルニア	腸が腹壁を越え、ストーマ周囲の皮下に出てくるため、腹部が膨隆する
脱出	単孔式であればストーマ自体、ループストーマであれば少なくとも1つの脚が数cm以上突出した状態
狭窄・皮膚障害、ストーマへの癌転移、ストーマ周囲静脈瘤など	

＊ストーマやストーマ周囲に異常が認められる場合は、速やかに医師に報告する。

PROCESS **4** ストーマ周囲のスキンケア

3-15

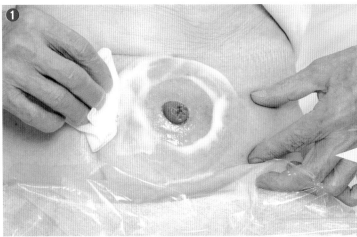

❶ 皮膚についた皮膚保護材の粘着成分や剥離剤の油分、粘液や排泄物を十分に泡立てた洗浄剤（弱酸性）で包み込むように、愛護的に洗浄する。外側から内側へと清拭する。

P O I N T

■ 外側から内側へと拭くことで、付着した排泄物を外側へと広げることを防止する。

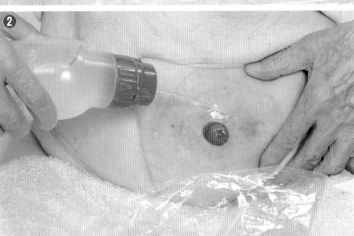

❷ 微温湯をかけたり、ぬらしたガーゼで清拭をし、洗浄剤を除去する。皮膚を傷つけないように、押さえ拭きをして、よく水分を取り除く。

P O I N T

■ 洗い場がない場合は、写真のようにビニール袋で汚水を受けたり、トレーやおむつ、シートなどを用いる。

■ 体調が回復し、可能であればシャワー浴を実施する。

■ 微温湯を用いなくても洗浄できる洗浄剤がある。災害時など、水や湯が使用できない事態に備え、購入しておくのもよい。

PROCESS **5** 装具の貼付

3-16

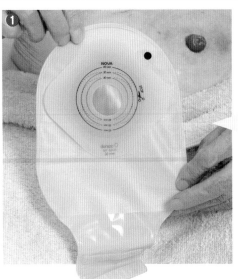

❶ 面板のストーマ孔は、事前にカットしておく。準備ができていると、排泄物が出てきても、あせらず排泄物を除去し、貼付することができる。

P O I N T

ストーマ孔のカット

■ ストーマ孔はストーマサイズより3〜5mmほど大きくカットする。

■ 視力の低下や手先の巧緻性の低下などから、3〜5mmにカットすることが困難な高齢者も多い。

■ カットする面板のラインの外側に沿ってカットするよう、指導するとよい。

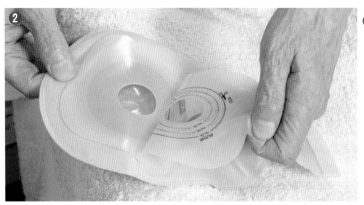

❷ 面板の裏紙をはがす。

患者自身が貼付する際、体位や離床状況に応じて、貼付しやすい体位で実施する。苦痛が少なく、皮膚のたるみ・しわが入らないような体位を選択する。

CHAPTER **3** ストーマケア

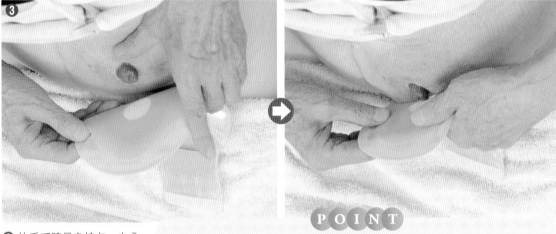

❸ 片手で装具を持ち、もう片方の手で皮膚を伸展し、しわやたるみをなくし、平面が確保できるように貼付する。

POINT
貼付の方法

■ 前屈位では腹壁の細かいしわや皮膚のたるみが増強するため、立位で貼付する患者が多い。

■ 鏡を使用しての貼付は、左右がわからなくなり混乱する場合がある。緊急時など鏡がない状況でも貼付しなければならない事態を想定し、当センターでは鏡の使用は推奨していない。

■ 患者本人が貼付し、それをキーパーソンとなる介護者が確認しながら行う場合もある。

■ 便の漏れは、精神的な苦痛を強いられることにもつながるため、十分に注意して貼る。

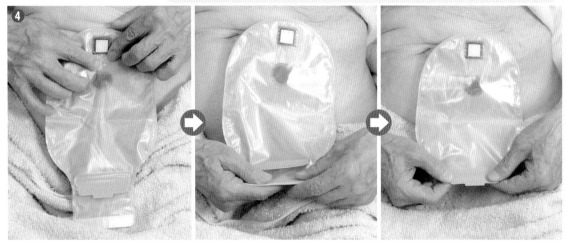

❹ 装具の排泄口を閉鎖する。
貼付前に閉鎖しておくと、排泄物流出による汚染を防ぐことができる。

CHECK! 患者の負担を軽減する装具

凸型の面板を使用している患者から、
ストーマ孔をはさみで切るのは硬くて困難という訴えが多く聞かれる。
サイズが合う場合は、既成孔タイプやはさみでカットする必要がない、
指で広げるタイプを選択するのもよい。
また、ストーマの形状・サイズに最も近い既成孔タイプを選択し、はさみで切る範囲を
少なくし、できるだけ患者の負担にならないようにすることが必要である。

ストーマ孔を指で広げるタイプ

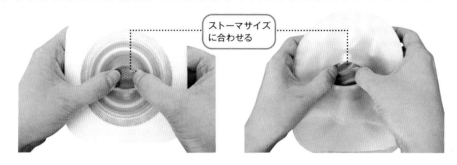

ストーマサイズ
に合わせる

EVIDENCE

高齢患者の負担を軽減

■ 加齢に伴い水晶体の硬化・調節麻痺により、近くのものが見づらくなる。視野も感度が低下し、緑
内障があると視野が狭くなり、また加齢黄斑変性があると、視野の中心部が見えにくくなることがある。

■ 加齢に伴う筋量の自然減少により筋力低下を引き起こし、細やかな動作が行いにくくなる。握力は
70歳で20歳代の約3/4に低下するといわれている。

■ 継続してケアを行わなければならない高齢患者の苦痛にならないよう、装具を選択する必要がある。

CHECK! 社会復帰に向けて

● 患者がストーマを自己管理し、社会復帰できるよ
う、援助することが大切である。
● 外出時、緊急時も通常通り、患者自身で装具交換
の実施や装具の購入ができるよう、必要な情報を
パンフレットにまとめて渡す。
● 小さいバッグやポーチに装具のほか、必要物品や
連絡先を入れて携帯するとよい。

外出時・緊急時用物品リスト
☐ 装具一式
☐ ビニール袋・紙袋
☐ ジップ付きポリ袋
（汚物やはがした後のパウチを入れる袋）
☐ おしぼりティッシュ、ちり紙
☐ 下着（上下）
☐ 小売業者・ストーマ外来・病院の連絡先
☐ 商品リスト
☐ ストーマの種類・術式のメモ

フットケア

高齢者に足病変が存在すると、痛みや歩行困難が生じ、
転倒・骨折して車椅子や寝たきりの生活になってしまう可能性がある。
動脈硬化性疾患（虚血性心疾患・脳血管障害・閉塞性動脈硬化症）
を持つ患者、糖尿病を患う患者は、足への血流障害や感覚障害、
知覚低下により足病変を引き起こす危険性が高い。
さらに、高齢者は視力障害・感覚神経障害・認知力低下などにより
足病変に気づかず、発見が遅れ重症化する場合がある。
医療者による日常的なフットケアが重要である。

ケアのポイント

● 足病変が発症する以前から、積極的にフットケアの必要性を指導し、患者がセルフケアを実践できるようにする。

● 高齢者の身体的・精神的な状況、家族背景はさまざまである。
フットケアに対する考え方、性格、学習能力、家族の援助、または認知力低下、
独居で家族の支援が得られないなどの要因を評価して指導する。

● フットケアによって足病変の発生を防ぎ、足の機能を正常に保つことにより、
日常生活動作（ADL）を維持し、高齢者の自立を支援する。

足の構造・機能

● 人間の足は 26 個の骨でアーチ状に形成され、3 点（A・B・C）で全体重を支えている。

● 足のアーチ構造は強靭で、適度な変形性があり、凹凸のある地面で長時間体重を支えたり、歩行・走行を行うことができる。

● 加齢による生理的な筋力低下、運動障害などさまざまな要因によりアーチ構造が崩れると、O 脚・X 脚・胼胝・鶏眼などを引き起こす原因となる。

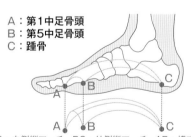

A：第1中足骨頭
B：第5中足骨頭
C：踵骨

AC：内側縦アーチ　BC：外側縦アーチ　AB：横アーチ

山口貴嗣：足の解剖生理学．はじめよう! フットケア 第2版．日本フットケア学会編，西田壽代監修，日本看護協会出版会，2009，p32より

爪の構造・機能

● 爪は指先を保護し、指の力を増加させ、感覚を敏感にする働きを持つ。

● 足趾の爪は先端にかかる荷重のバランスをとり、身体全体を支える。

● 足趾の爪に 1 つでも障害があると、正常な立位や歩行が困難になり、足の変形・障害を引き起こす。

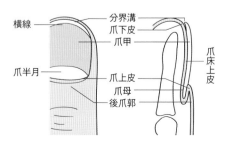

横線
分界溝
爪下皮
爪甲
爪半月
爪床上皮
爪上皮
爪母
後爪郭

足病変の原因と観察

足にみられる何らかの病変を足病変といい、主に皮膚病変・爪病変・関節病変に分けられる。足病変の原因には神経障害、循環障害、爪や足趾の変形・拘縮、靴が合わない、高血糖、低栄養などがあげられる。
本項では、糖尿病性足病変について詳しく述べる。

■足病変の分類

皮膚病変	●皮膚損傷：びらん・潰瘍・壊疽・水疱など ●胼胝(たこ)・鶏眼(うおのめ)・白癬など
爪病変	●爪白癬・陥入爪など
関節病変	●外反母趾・槌指(ハンマートウ)

■足病変の原因

末梢神経障害	●感覚神経障害： 糖尿病やその他の原因で知覚が障害されている。 ●運動神経障害： 筋が萎縮し、関節や骨の支持力が低下、足や関節の変形が生じる。
自律神経障害	●自律神経は内臓などの働きやホルモンの分泌を調節している。 ●自律神経障害により、足部は発汗が減少して皮膚が乾燥し、亀裂などを生じやすくなる。 ●皮膚の角化・硬化が進行しやすく、胼胝も乾燥して硬くなる。 ●発汗が減少すると皮膚が乾燥し、皮膚の自浄作用・感染防御機能が低下、易感染状態となる。
循環障害	●循環障害により栄養不足・酸素不足となり、足病変を起こしやすくなる。 ●危険因子として糖尿病・高血圧・高脂血症・喫煙・肥満・運動不足など、動脈硬化を誘発するものがあげられる。 ●狭心症・心筋梗塞、脳梗塞の既往があれば、全身の動脈硬化が進行していると考えられ、足病変を引き起こす可能性が高い。
爪や足趾の変形・拘縮	●爪の変形は皮膚を傷つけ、感染を引き起こす要因となる。 ●足趾の変形・拘縮は、圧迫や摩擦などから足病変を引き起こす。
靴・靴下による圧迫・ずれ	●足に合わない靴・靴下を履いていると、靴ずれや圧迫を生じ、びらん・潰瘍などの原因となる。
高血糖	●一般に、好中球貪食能は血糖値250mg/dL以上になると急速に低下するといわれ、白血球の働きが悪くなり、感染しやすくなる。靴ずれや小さな傷でも感染しやすく、重症化しやすい。
低栄養	●低栄養では易感染状態に傾き、創傷の治癒遅延や、感染とその重症化につながる。

■足病変の観察・アセスメント（1）

観察・アセスメント	POINT・EVIDENCE

神経障害

知覚の有無

→足の痛み、しびれ、感覚鈍麻はあるか？

- 神経障害の程度が軽い場合は、足のしびれや痛みを認識できる。

- 高齢者の中には、糖尿病による神経障害などからくる知覚低下を理解していない患者も多い。熱さを感じず熱傷が発生したり、疼痛を感じず創傷を放置する危険性が高い。

POINT

- 足の感覚が残っている段階で積極的にケアの方法を指導し、潰瘍などを効果的に予防する。

- 足の疼痛は夜間に増強することが多く、不眠につながる場合がある。睡眠状況および腎機能などについて情報収集し、必要であれば医師に相談し薬剤の使用を考慮する。
→神経障害の薬、抗痙攣薬、抗うつ薬、鎮痛薬、睡眠薬など

- 感覚器をはじめ平衡機能や運動機能の低下がみられる高齢者は、睡眠薬の使用により転倒リスクを高める場合がある。特に、麻痺・神経障害のある患者は十分にアセスメントする。

傷の有無

- 疼痛を感じない患者は足に傷ができても気づかず、気づいても放置してしまう傾向がある。

- 傷を放置すると感染を起こし、重症化する恐れがある。特に、血流障害のある患者では危険性が高い。

足に合った靴を

POINT

- 傷をつくらないようにするには、足に合った靴を正しい履き方で着用することが重要である。

- 靴の状態、靴ずれの有無を観察する。

- 熱傷予防のため、湯たんぽ・カイロ・電気毛布など、暖房器具の使用方法を指導する。

EVIDENCE

- 血流障害があると傷を癒すのに必要な栄養・酸素が十分に届かず、治癒遅延・重症化をきたす可能性が高い。

- 加齢に伴うリンパ球減少により、細菌などの侵入に対する抵抗力・自浄作用が低下する。加えて血糖コントロールが不十分であれば、より感染しやすく重症化しやすい。

足の形と動き

- 足・関節の変形は歩行パターンの異常を引き起こし、足にかかる荷重の変化につながるため、損傷リスクを高める。

POINT

- 足を投げ出して座り、負荷のない状態で観察する。

- 皮膚が浸軟・乾燥傾向にあると、外力が加わりやすく、容易に傷を形成する。

皮膚の状態

- 足全体の皮膚を観察することにより、足病変の危険性をとらえる。

- 皮膚が薄く、赤みが強い足、皮膚がじっとりして浸軟・乾燥傾向にある足などは、損傷の危険性が高い。

POINT

- 自律神経障害の有無は、さまざまな神経機能検査を用いて総合的に判断される。
→心電図（R-R 間隔変動）の測定、起立負荷による血圧測定など

- 足底部の観察は患者自身が行うにはむずかしい部位であり、鏡を使用して行うとよい。

- 視力障害や視力低下がある患者の場合には、家族・介護者など周囲の人にみてもらうよう指導する。

■足病変の観察・アセスメント（2）

観察・アセスメント	POINT・EVIDENCE

下肢・足趾の観察

<small>血管障害</small>

- ●足の色調は？
- ●下肢の腫脹、静脈怒張はないか？
- ●下肢の疲労感、重圧感はないか？
- ●浮腫はないか？
- ●足部・下腿の冷感・しびれはないか？
- ●他覚的に足部・下腿が冷たくないか？
- ●安静時に疼痛はないか？
- ●間欠性跛行はないか？
- ●潰瘍・壊死はないか？
- ●脈拍が触れるか？
- ●ABI（ankle-brachial index）*
（血管障害の重症度を知る重要な検査法）

POINT

- ■足背動脈・後脛骨動脈・膝窩動脈の触知、ドップラー聴取により、血流障害の有無が判断できる。
- ■動脈性⇒皮膚潰瘍は足趾・足背・足底・下腿外側に好発する。また、筋膜・筋肉に及ぶこともあり、潰瘍周囲に色素沈着を認めない。
- ■静脈性⇒皮膚潰瘍の好発部位は下腿内側で、浅い潰瘍であり、周囲に色素沈着を伴い、肥厚・硬化する。

＊ABI＝足関節の収縮期血圧 ÷ 上腕の収縮期血圧
通常：ABI＝1.0以上
虚血の疑い：ABI＝0.9以下

爪の切り方

<small>爪・足趾の変形・拘縮</small>

- ◉不適切な爪の切り方としては、深爪が多い。
- ◉深爪は傷を作り、感染を起こす可能性がある。
- ◉伸びすぎた爪を放置すると爪が割れたり、シーツなどに引っかかり転倒する危険がある。

POINT

- ■爪の切り方について、正しい知識を持つ患者が少ない。
- ■正しい爪の切り方を指導することが重要である(p.155 参照)。

爪白癬・巻き爪・陥入爪

- ◉爪白癬：真菌による皮膚感染症。爪白癬だけでは痛み・痒みはないが、爪がぼろぼろになり、靴下を履く際に引っ掛けて気づくことがある。
- ◉陥入爪：足趾、特に母趾にみられ、爪甲縁が爪溝内に陥入して疼痛を起こす。放置すると皮膚を傷つけ、感染を引き起こす要因となる。

POINT

- ■爪白癬は、爪の根元から細菌が入り重症化すると、蜂窩織炎などのさらなる足病変を引き起こす。

爪白癬　　　　　　　陥入爪

足趾の変形・拘縮

- ◉運動神経障害が進行すると、足の筋肉トーヌスのバランスが崩れ、解剖学的変形や歩行異常が生じる。
- ◉変形・拘縮の原因としては四肢麻痺、整形外科疾患の既往、後遺症による関節可動域の変化および制限による筋肉・結合組織の不動、筋肉の柔軟性と関節可動域の低下などがあげられる。

POINT

- ■足趾が重なり合ったまま歩行による圧が加わると、足裏に胼胝・鶏眼を形成しやすい。
- ■骨が突出した足趾では、靴による圧迫・摩擦からびらん・潰瘍を形成しやすい。
- ■重なり合った指同士が圧迫し合い、足趾間で褥瘡を形成しやすい。

EVIDENCE

- ◉加齢に伴い筋力低下、足の変形、足底部の脂肪組織量の減少がみられる。
- ◉片麻痺がある患者は重心が偏るため、トラブルが発生しやすい。

■足病変の観察・アセスメント(3)

観察・アセスメント	POINT・EVIDENCE

靴・靴下による圧迫・ずれ

靴のチェック

- 足が靴に当たって圧迫・摩擦を受けていないか?
- 皮革が硬すぎないか?
- 靴底、特に踵や内外縁が擦り減っていないか?

EVIDENCE

- 圧迫や摩擦を受けた部位には発赤、水疱、角質層の肥厚、胼胝、鶏眼、疼痛などを生じる。
- 硬い皮革や縫い目で足背が圧迫されると、皮下を通る腱・神経・血管に圧迫障害をきたすことがある。
- 擦り減った靴底は、その部位に異常な力が加わっている。後足部の不安定性、足のアーチの異常から生じる力の配分と歩き方のバランスの悪さから生じる。

靴下のチェック

- 汚れの部位、汚れ方は?
- 血液・滲出液付着はないか?
- 靴下の素材・色は?
- ゴムの締め付け具合は?

POINT

- 血液・滲出液の付着、汚れ部位・状況などを観察することで、足病変の早期発見につながる。
- 靴下の素材の通気性・保温性を観察し、足に合うかどうかを判断する。

低栄養

食事摂取状況

- 患者の主観的な訴えに、客観的データを合わせ、総合的に判断する。
- 腎機能・肝機能の低下により、低栄養となる場合もある。

POINT

- 加齢に伴い食欲が低下する患者、偏った食事をとっている患者も多い。
- 加齢による消化吸収能力や食欲の低下から、「食べているつもり」でも潜在的に低栄養状態の場合がある。

白癬・胼胝・鶏眼

白癬

- 一般に水虫といわれ、よく知られているが、放置されることが多い。
- 発汗の多い足、長靴や革靴を長時間履く足に発症することが多い。
- 足底・趾間・爪が好発部位である。

EVIDENCE

- 胼胝・鶏眼があると、歩くたびにそこに体重がかかり、外力がさらに増大するため、潰瘍を形成する危険が非常に高くなる。

胼胝

- 合わない靴の着用、歩き方により過剰に圧や摩擦が加わることで形成される。
- 靴選び、歩行の仕方を指導して予防する。
- 形成された場合は、自己診断は避け、皮膚科を受診して処置してもらう。

POINT

- 胼胝・鶏眼の治療貼付薬として、スピール膏®がある。これは胼胝・鶏眼を柔らかくする効果があるが、貼付位置がずれると健常な皮膚が炎症を起こす可能性がある。
- スピール膏®を安易に使用している患者に対しては、注意して使用するよう指導する。
- 胼胝の処置は、十分に経験のある者が行う。胼胝削りには、グラインダー(電動やすり)やコーンカッターを使用する。

鶏眼

- 同じ部位に圧迫や摩擦が加わると、点状角化を生じ、しだいに角質肥厚が豆粒大に増大していく。
- 疼痛が強い場合は角栓切除を行うが、必ず医療機関を受診するよう指導する。

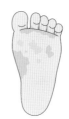

足 浴 ₃₋₁₇

入浴できない患者には足浴を行い、足部の清潔を保つとともに観察を行う。
爪の手入れは入浴後、足浴後に引き続き行う。

PROCESS **1** 必要物品の準備と説明 ₃₋₁₈

❶ 石けん（洗浄剤）
❷ ビニールシーツ
❸ タオル・バスタオル
❹ ピッチャーまたはシャワーボトル
❺ ベースン
❻ 手袋・ビニールエプロン・マスク
❼ 爪切り・爪やすり
❽ 保湿剤
❾ 手鏡（必要時）
❿ 処置用シーツ（ベッド上で行う場合）
⓫ 湯（38度前後）
⓬ 足台、足台を覆う処置用シーツ（必要時）

POINT

■ ベッド端座位で足底が床に着かない場合は、足台に処置用シーツを敷いて用いる。

■ 身体の柔軟性が低下している場合は手鏡や拡大鏡を利用して、自分で足裏を観察できるようにする。

❶ 患者に足浴を行うことを説明し、同意を得る。

❷ 看護師は手洗いを行い、マスク・ビニールエプロン・手袋を装着する。
患者はベッド端座位とし、パジャマのズボンを膝上まで上げ、湯でぬれないよう準備する。

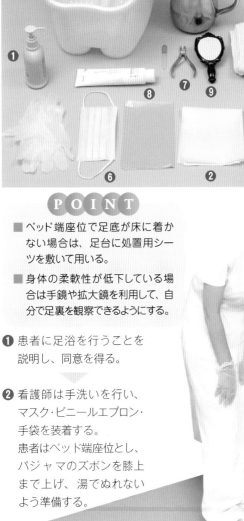

ビニールシーツ ────────

PROCESS ② 足の洗浄

3-19

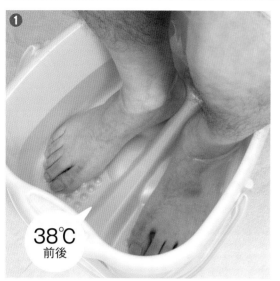

38℃
前後

❶ 38度前後の湯を準備し、患者に温度に問題がないことを確認してから、足をつけて温める。所要時間は終了まで5〜10分程度を目安に、ケアを開始する。

❷ 石けんや洗浄剤を十分に泡立てて用いる。

❸ こすり過ぎないよう注意して、泡で包むように、やさしく洗浄する。指の間は汚れがたまりやすいので、念入りに洗浄する。

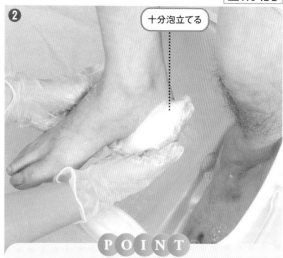

十分泡立てる

POINT

■ 足を急激に温めることにより血流が速くなる。心臓病・高血圧・低血圧などがある場合は、特に注意する。

■ 糖尿病の患者は皮膚が弱いため、強くこすらないように注意する。

■ 皮脂を過剰に除去しないためにも、湯の温度調節が大切である。

■ 長時間の足浴は足をふやけさせ、傷つきやすくなるので避ける。　（所要時間は5〜10分程度に）

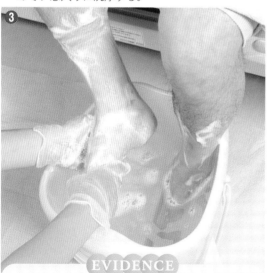

EVIDENCE

■ 脱脂力の強い石けんを頻回に使用したり、軽石・へちま・ナイロンたわしなどでごしごしこすると、皮膚の乾燥が増強する。また、皮膚に小さい傷を形成する。

■ 乾燥が進むと皮膚のバリア機能が低下、有害物質の侵入を容易にし、感染リスクが高まる。

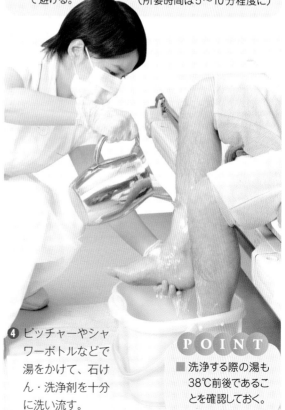

❹ ピッチャーやシャワーボトルなどで湯をかけて、石けん・洗浄剤を十分に洗い流す。

POINT

■ 洗浄する際の湯も38℃前後であることを確認しておく。

PROCESS **3** 水分の除去と保湿

3-20

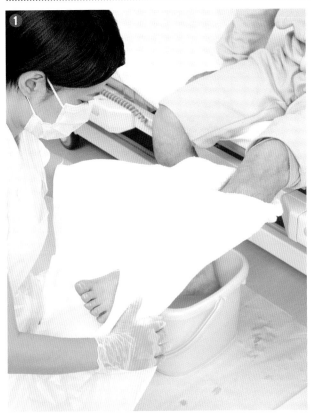

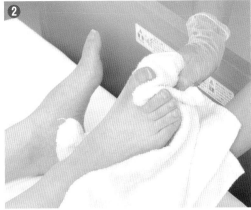

❶❷ タオルで下肢を包み、こすらずに水分を除去する。足部は、踵から指先に向かって押さえ拭きをする。

足趾間は、看護師の指にタオルやガーゼを巻きつけて差し入れ、水分を拭き取る。

P O I N T

■ 高齢者は足趾の筋肉が弱る傾向にあるため、足趾が開きにくい。足趾が拘縮傾向にある患者も多い。

■ 足趾間は、看護師が指にタオルを巻きつけ、足裏側から差し入れて拭く。

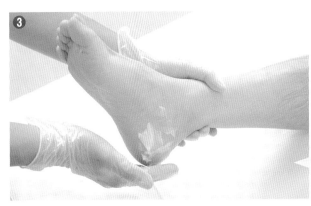

❸ 洗浄後20分以内に、保湿クリームを適量塗布する。

P O I N T

■ 足浴や洗浄後の肌は、皮脂膜が失われて細胞内の水分が逃げやすい環境にあるため、20分以内に保湿する。

■ 保湿クリームを塗った後、何日も足を洗わないでいたり、保湿クリームを塗り重ねると、細菌の温床となるので注意する。

P O I N T

靴下を着用して保湿、蒸れ防止

■ 靴下を着用することで乾燥・外傷・炎症・感染の予防につながる。

■ 綿・ウールなど吸湿性にすぐれた素材の靴下を着用し、汗を吸い取って細菌の繁殖を防止する。

■ 5本指の靴下は足趾の密着を防ぎ、蒸れによる浸軟を防止する。

■ 指の拘縮・変形により5本指の靴下が着用できない場合は、普通の靴下を着用する。その場合、着用してから靴下内で指が自由に広げられるよう、緩みをもたせる。

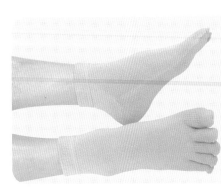

PROCESS 4 爪の手入れ

3-21

スクエアカット
直線に切る

ニッパーは上刃だけ
動かし、少しずつ切る

スクエアオフ
両端を
切り落とす

切りにくい場合
やすりを
かける

爪やすりは矢印の方向に
向かって分けてかける

仕上がり

❶ ニッパーを用い、まず爪の中央を直線的に切る。爪と指先の肉をよく観察し、下刃を差し入れ、上刃だけを動かして切る。ニッパーは先端を利用し、1回で切り落とすのではなく、少しずつ切る。

❷ 爪の両端をごくわずかに切り落とし、角のとがりをなくす。

POINT

■ 高齢者の爪は、厚く硬いのが特徴である。入浴後・足浴後は爪が柔らかくなっているため、比較的切りやすい。

■ 皮膚をはさまないように、気を付けながらカットする。

■ 爪の角がとがっていると布などに引っかかり、危険である。

■ ニッパーは上刃だけを動かせば、正確に切れる。

■ 深爪しないよう注意。指の先端に平らなものを当てた際に、爪が当たらないくらいの長さが適切である。

■ 切りにくい場合は、少しずつ爪のカーブに合わせてカットする。それでもカットするのが難しい場合は、角をやすりで丸みをつける程度にする。

EVIDENCE

■ 爪が伸びていたり、巻き爪、肥厚爪などの変形があると、周囲組織や隣の足趾、爪床を圧迫してしまう。

切りにくい爪は無理をせず、爪やすりをかけて削る。

POINT

■ 爪やすりは爪が生えている方へ向けて一方向にかけ、皮膚に当たらないように注意する。

もっとケア！

外来患者の場合 ｜ 身体が曲げられなかったり、爪の変形により自分で処置ができない外来患者は、受診時に看護師が爪切りを実施する。患者にも、自分で無理に切らないよう指導する。

靴の選択・履き方

足病変を予防するには、足に合った適切な靴を選ぶことが大切である。
つま先にゆとりがあり、足背が圧迫されず、踵の隙間が広すぎないものがよい。
靴は実際に履いて歩き、足が前後にずれないか、
圧迫や食い込みはないかを確認する。
また、新しい靴や久しぶりに履く靴は、長時間着用せず、徐々に履き慣らす。
靴の紐は結んだままにせず、履くたびに締め直す。

足に合った靴とは

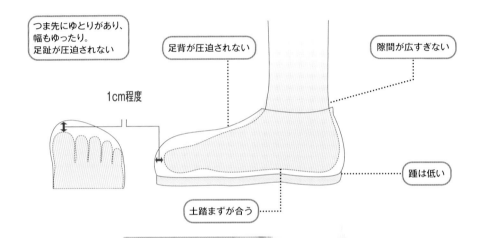

つま先にゆとりがあり、幅もゆったり。足趾が圧迫されない

1cm程度

足背が圧迫されない

隙間が広すぎない

踵は低い

土踏まずが合う

POINT
靴選択のポイント

■ 夕方の足は朝より0.5cmほど大きくなっている。靴選びは、夕方の時間帯に行う。透析患者は、透析直後に選ばないようにする。

■ つま先に1cm程度の余裕があり、足幅が締め付けられず、足背が圧迫されないもの、土踏まずが合うものを選択する。

■ 足のサイズは左右差がある（10人に1人は左右差0.5cm）ため、左右両方とも履いて確かめる。

■ 実際に履いて歩き、足がずれたり、圧迫されたりしないことを確かめる。

そのほかのケア

足部の清潔ケア、爪の手入れ、正しい靴の選択のほか、保温や禁煙などにより
血流を保つ、熱傷に気をつけるなどのケアが大切である。

MANAGEMENT 血流を保つ

動脈硬化、下肢閉塞性動脈硬化症（ASO）／末梢動脈疾患（PAD）、浮腫などが
ある場合は、足の血流が妨げられやすいため、靴下による保温、足浴により足
の血流を保つ。

- 保温：就寝時以外は靴下を着用する。
- 足浴：1回5〜10分、足を湯につけ、
  週3回以上実施する。

POINT

- 靴下の2枚重ね、ゴムのきつい靴下は避ける。
- 炎症・感染を伴う創がある足は、湯に浸すのは避け、シャワー浴・部分洗浄など
  を行う。

MANAGEMENT 熱傷に注意！

- 皮膚の同一部位に直接、60度で1分、50度で3分接触すると低温熱傷が発生
  するといわれる。暖房はこたつや電気カーペットより、ストーブやヒーター
  で部屋全体を温める方法が望ましい。
- 湯たんぽや電気毛布も低温熱傷につ
  ながるため、寝る前に十分暖めて取
  り出したり、スイッチを切る。電気
  毛布は下に敷かず、上にかけるほう
  がよい。
- 神経障害がある場合は、手ではなく
  肘で湯温を確かめるよう指導する。

MANAGEMENT 禁煙を指導

- たばこに含まれているニコチンは、
  末梢血管を収縮させ、血流障害を悪
  化させる。
  できるだけ、禁煙を指導する。

MEMO

CHAPTER 3

高齢者ケアの実際

活動・休息のケア

体位変換・ポジショニング

睡眠のケア

転倒・転落の予防

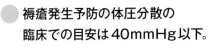

CHAPTER 3
高齢者ケアの
実際

体位変換・ポジショニング

褥瘡予防・治癒促進のケアプランの1つとして
体位変換やポジショニングを行うことは、日常的なケアである。
しかし、除圧、摩擦の軽減にのみ重点をおくと、患者にとって苦痛を伴う
体位を強いることも多い。高齢者の身体的特徴をふまえ、褥瘡発生要因
やケアプランをアセスメントし、除圧・摩擦軽減の効果を得ながら、
個々に応じた体位変換・ポジショニングを行う。
重力に抗して身体を起こすことは、脳・内臓・血液循環などを活性化する
といわれる。褥瘡予防だけでなく、体位が全身に与える効果を念頭に
おいてケアを行う。

ケアのポイント

● エアマットなどの体圧分散用具を使用しても、体圧はゼロにならないため、体位変換による除圧は必要である。

● 除圧・摩擦を軽減するだけでなく、体格や拘縮、活動状況など、個々に合わせた安楽で実践可能なプランニングが重要である。

● 体位変換用枕やクッションを使用し、個々に応じたポジショニングを行う(隙間を埋める、関節の密着を避けるなど)。

● 褥瘡発生予防の体圧分散の
臨床での目安は40mmHg以下。

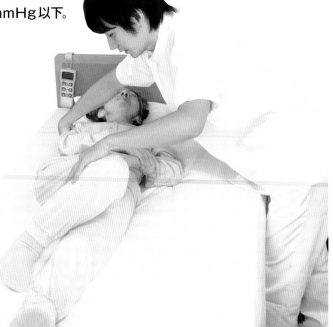

体位変換

体圧分散用具を使用しても体圧がゼロになるわけではなく、体位変換は必要である。
個々の患者に応じたアセスメントを行い、体位変換の時間、体位を設定する。

PROCESS ① アセスメント

● 圧迫部位の皮膚を観察し、発赤部位・程度によって時間、体位をプランニングする。

▼

● 皮膚に200mmHg 以上の圧が2時間以上加わると、壊死が起こるといわれる。このため、2時間ごとの体位変換が推奨され、習慣的に行われている。
● 褥瘡発生予防の体圧分散の臨床での目安=40mmHg 以下

夜間の場合	在宅の場合	ハイリスクの患者
● 夜間、2時間ごとの体位変換により睡眠障害になる場合がある。	● 在宅では介護力の問題から、2時間ごとの体位変換が行えない場合がある。	● 褥瘡発生要因がハイリスクの患者では、2時間以内の体位変換が必要な場合がある。

● 個々の患者に応じた実践可能なプランニングを行う。

体位変換用枕 各種の体位変換用枕やクッションを用いて、患者に応じた体位を整える。

POINT
体圧測定器を活用する
■ 体圧測定器を用いて圧迫部位の圧力を測定し、適切な体位がとれているか確認するとよい。

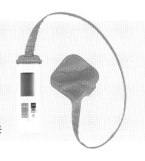

簡易体圧測定器 プレディア®/テルモ

PROCESS ② 患者への説明

患者に体位変換についての説明を行い、同意を得る。

看護師は必要物品を用意し、できるだけ2人でケアを行って摩擦・ずれを予防するため準備する。

PROCESS ③ 仰臥位から左側臥位へ

2人で行う場合

❶

体を引きずらないように移動

❷

❶ 看護師2人で両側から、患者の体の下に両手を差し入れる。1人が肩・上半身に、もう1人が腰部・膝関節部に手をおく。

❷ まず、患者の体をベッドの右端に移動する。この際、差し入れた両腕で、体を引きずらないように移動する。

POINT

■ 看護師はボディメカニクスに基づいて体位変換を行い、腰痛を予防する。

ベッドサイドの片側が壁だったり、骨折や変形などの身体的特徴などから、同側に看護師が並んで体位変換を行う場合もある。2人で同時に引く動作をすることにより、患者の体のずれが発生しにくくなる。

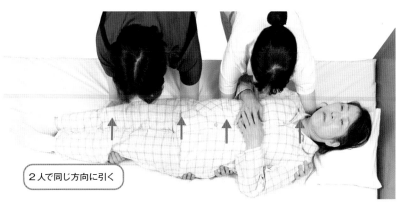

2人で同じ方向に引く

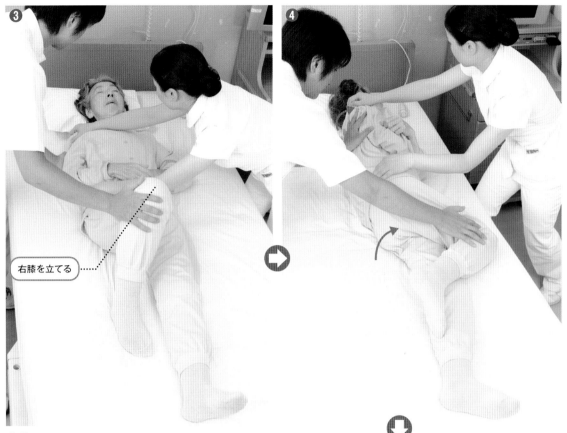

❸❹ 患者の右膝を立て、右膝・右肩を支えて左側に体を向ける。

右膝を立てる

ポジショニング

❺ 体位変換用枕やクッションを用い、患者にとって苦痛がなく、除圧に有効な体位を整える。

POINT

30度側臥位とは

- 側臥位は30度にすることで臀筋の接触面積を増やし、体圧を分散させることができるといわれる。

- 30度側臥位を苦痛に感じる患者も多く、30度でも仙骨・尾骨に発赤を生じる場合がある。

- その患者に応じた側臥位の角度を見出す必要がある。

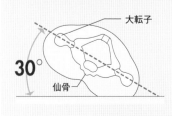

大転子

30°

仙骨

クッション・枕の利用法

- クッションや枕で体全体を広範囲に支え、隙間がないようにする。

- 拘縮がある場合は、拘縮による側方への過度な荷重や拘縮部位どうしの接触を避け、隙間を埋めるようにクッションや枕を挿入する。

- 両下肢が接触しないようクッションをはさむ。

1人で行う場合

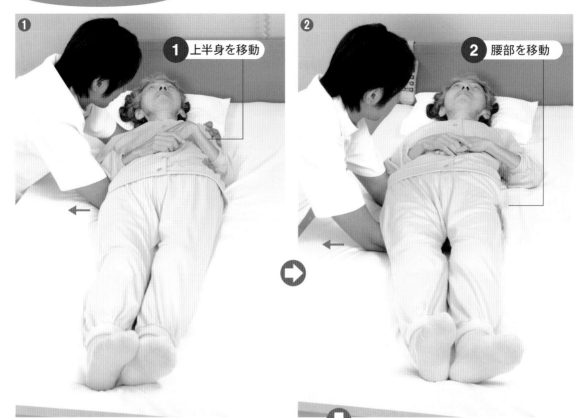

❶ 上半身を移動

❷ 腰部を移動

❸ 下半身を移動

❶ 患者の体の下に両手を差し入れ、肩と側腹部に手をおいて、上半身を手前に少し移動する。

❷ 患者の腰部と大転子部に手をおいて、腰部を手前に少し移動する。

❸ 患者の膝関節部と足関節部に手をおいて、下半身を手前に少し移動する。

P O I N T
1人で行う場合は
■ 患者の体を浮かしながら、少しずつ移動することで摩擦やずれを防止し、無理なく体位変換が行える。

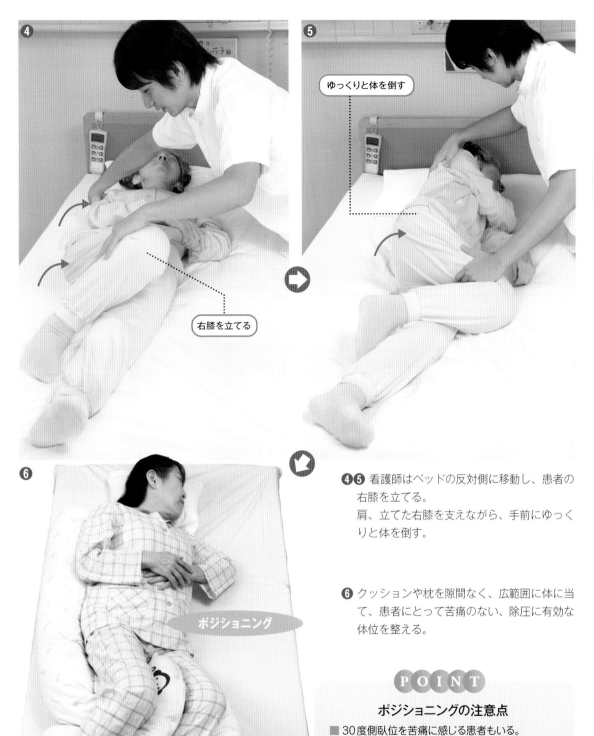

4 右膝を立てる

5 ゆっくりと体を倒す

6 ポジショニング

❹❺ 看護師はベッドの反対側に移動し、患者の右膝を立てる。

肩、立てた右膝を支えながら、手前にゆっくりと体を倒す。

❻ クッションや枕を隙間なく、広範囲に体に当て、患者にとって苦痛のない、除圧に有効な体位を整える。

ＰＯＩＮＴ

ポジショニングの注意点

■ 30度側臥位を苦痛に感じる患者もいる。

■ 個々の患者に応じた側臥位の角度を見出す。

クッションや枕

ポジショニング

ベッドの頭側を挙上したり、車椅子座位、ベッド上端座位をとる場合は、
摩擦・ずれを軽減し、体圧を分散させることが重要である。
エアマットを使用している場合は、マット面を固くして、姿勢を安定させる必要がある。

頭側挙上

（ギャッチアップ）

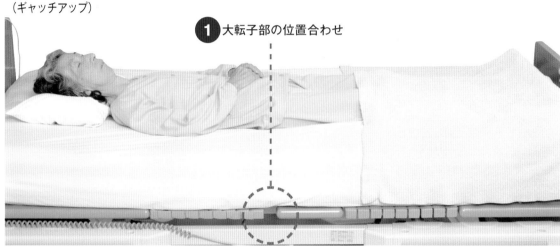

❶大転子部の位置合わせ

❶ まず、ベッドの屈曲部位と
患者の大転子部の位置を合
わせる。

注意! 体型を考慮せずに患者の頭部をベッド上方（頭側）に寄せると、ベッドの屈
曲部と大転子部が合わず、挙上時にずれが生じるので注意！

❷ 次に、ベッドの下肢側を挙
上する。

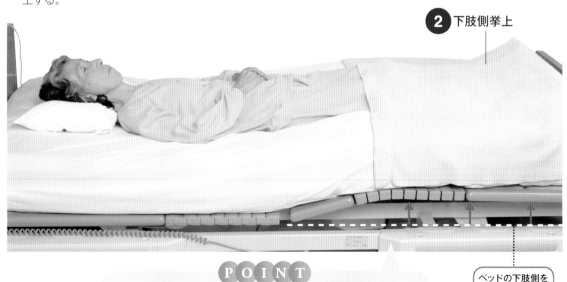

❷下肢側挙上

ベッドの下肢側を
挙上する

POINT

■ 下肢を先に挙上して、頭側挙上時に体が足側へずり落ちるのを予防。
ずれ、摩擦を軽減する。

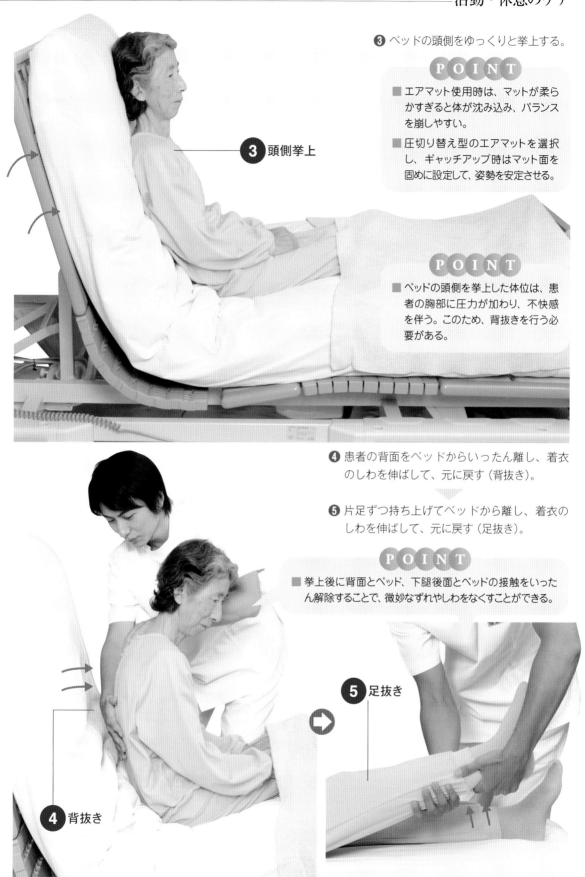

❸ ベッドの頭側をゆっくりと挙上する。

POINT

■ エアマット使用時は、マットが柔らかすぎると体が沈み込み、バランスを崩しやすい。

■ 圧切り替え型のエアマットを選択し、ギャッチアップ時はマット面を固めに設定して、姿勢を安定させる。

3 頭側挙上

POINT

■ ベッドの頭側を挙上した体位は、患者の胸部に圧力が加わり、不快感を伴う。このため、背抜きを行う必要がある。

❹ 患者の背面をベッドからいったん離し、着衣のしわを伸ばして、元に戻す（背抜き）。

❺ 片足ずつ持ち上げてベッドから離し、着衣のしわを伸ばして、元に戻す（足抜き）。

POINT

■ 挙上後に背面とベッド、下腿後面とベッドの接触をいったん解除することで、微妙なずれやしわをなくすことができる。

4 背抜き

5 足抜き

座位

（車椅子）

座位をとる場合は、圧力を臀部ではなく、骨の突出の
ない大腿後面で広く支持して体圧を分散させるため、
股関節・膝関節・足関節を90度にした姿勢をとる。
これが、座位の基本姿勢である90度ルールである。

POINT

90度ルールで体圧分散

■ 股関節・膝関節・足関節を90度にして座ると、体重
は大腿後面に広く分散してかかる。

■ 体型や拘縮などを考慮し、クッションや枕などを使
用して姿勢を保持する。

座位姿勢の基本
90度ルール

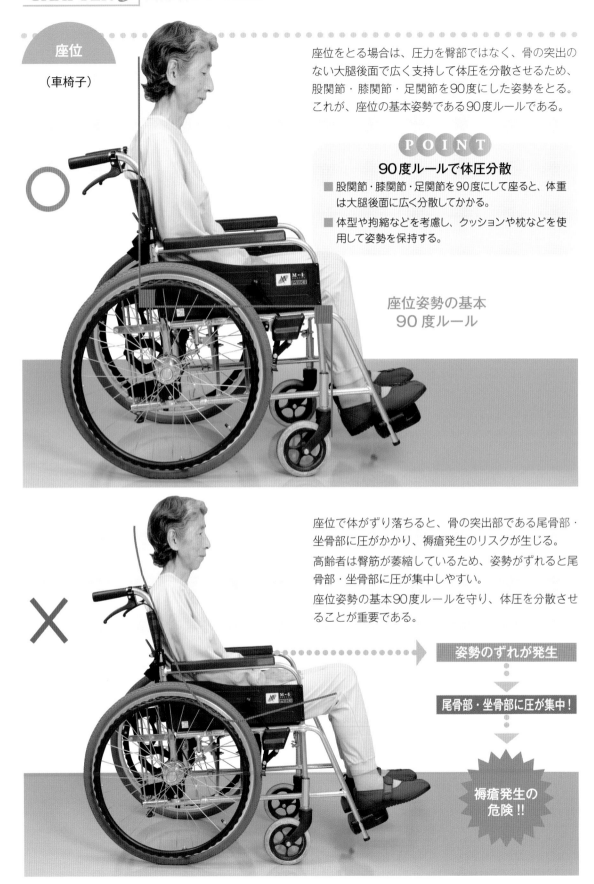

座位で体がずり落ちると、骨の突出部である尾骨部・
坐骨部に圧がかかり、褥瘡発生のリスクが生じる。

高齢者は臀筋が萎縮しているため、姿勢がずれると尾
骨部・坐骨部に圧が集中しやすい。

座位姿勢の基本90度ルールを守り、体圧を分散させ
ることが重要である。

姿勢のずれが発生

尾骨部・坐骨部に圧が集中！

**褥瘡発生の
危険！！**

除圧

（車椅子）

車椅子座位で過ごす場合は、次に示す各種の方法で15分ごとに除圧を行う。座位の90度ルールを守っていても、体圧はゼロではないため、除圧が必要である。15分ごとの除圧ができない場合は、1時間以内に臥位に戻す。

車椅子座位で長時間過ごすことは患者にとって苦痛であり、目的に応じた車椅子・除圧用具を選択し、時間などをプランニングする。

前屈

体を前屈させ、臀部と座面の接触を解除する。

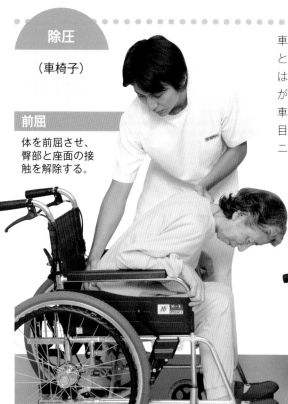

オーバーテーブルで前屈

オーバーテーブルを利用して前屈する。

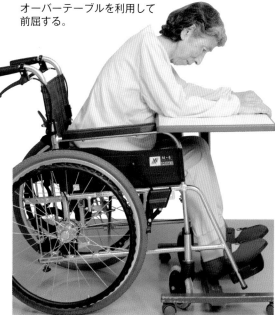

立ち上がり

車椅子のアームレストに手をおいて腰を浮かし、臀部と座面の接触を解除する。

側屈

車椅子のアームレストに肘をおいて、片側ずつ腰を浮かし、臀部と座面の接触を解除する。

CHAPTER **3** 体位変換・ポジショニング

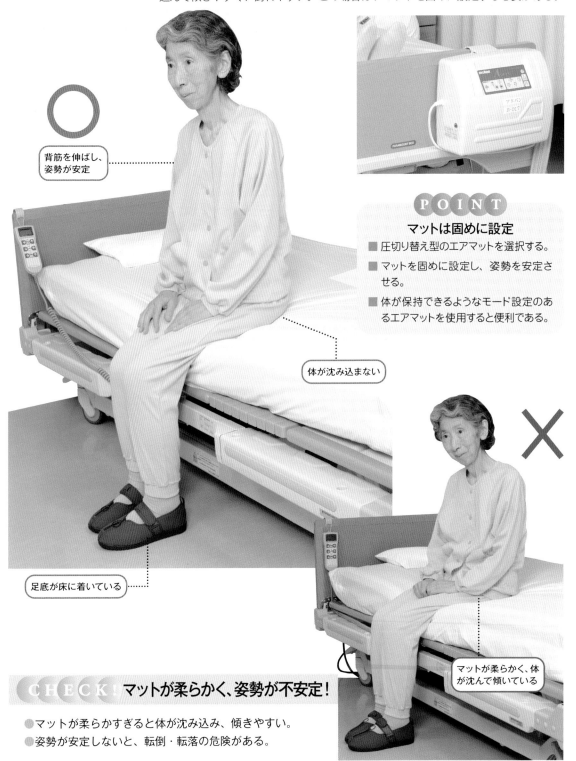

ベッド
端座位

**エアマット
使用時**

ベッド端座位は、足底を床に着け、背筋をまっすぐに伸ばして姿勢を安定させることがポイントである。

エアマットを使用しているベッドで端座位をとる際、マットが柔らかいと体が沈み込んで傾きやすく、倒れやすい。この場合は、マットを固めに設定する必要がある。

背筋を伸ばし、
姿勢が安定

P O I N T

マットは固めに設定

■ 圧切り替え型のエアマットを選択する。

■ マットを固めに設定し、姿勢を安定させる。

■ 体が保持できるようなモード設定のあるエアマットを使用すると便利である。

体が沈み込まない

足底が床に着いている

マットが柔らかく、体が沈んで傾いている

C H E C K ! **マットが柔らかく、姿勢が不安定!**

● マットが柔らかすぎると体が沈み込み、傾きやすい。

● 姿勢が安定しないと、転倒・転落の危険がある。

CHAPTER **3**
高齢者ケアの実際

睡眠のケア

人間は休息が必要になると、疲労物質が末梢組織から大脳へと伝わる
メカニズムを持っている。
それにより心身の疲労を回復させ、新たな活力を蓄えて生活している。
高齢者は不眠を訴えることが多く、睡眠薬を常用している人も少なくない。
高齢者が「眠れない」と訴える背景には、身体的な影響はもちろん、
心理・社会的な影響の関与もあり複雑である。
本項では、高齢者に多い睡眠障害に対する薬物以外のケア、
そして、睡眠障害とかかわりの深いせん妄について解説する。

睡眠障害について

⬤ 睡眠障害とは、何らかの理由により
睡眠が量的・質的に障害された状態である。

⬤ 睡眠障害は一般に、次の4つに分類される。これらは単独で出現する場合と、
複合してみられる場合がある。
❶ 不眠
❷ 過眠
❸ サーカディアンリズム(概日リズム)*の障害
❹ 睡眠中の行動異常

⬤ 睡眠障害があると日中の覚醒水準が低下し、何事にも集中できなくなる。

⬤ 睡眠障害があると、高齢者では昼寝が多くなり、
昼夜逆転状態となることがある。

⬤ 日中の過眠や眠気を伴う。

＊およそ24時間周期で変動する生体リズム。サーカディアン＝概ね1日 (ラテン語)

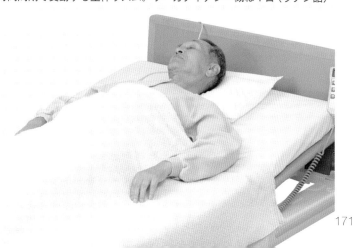

171

睡眠障害とは、何らかの理由により睡眠が量的・質的に障害された状態であり、一般に次の4つに分類される。睡眠障害があると日中の覚醒水準が低下し、集中できない、居眠りが多い、昼夜逆転などの状態が現れる。

睡眠障害の分類

不眠	●**入眠障害**：眠ろうと意識した時から入眠するまでの時間が延長する状態（寝つきが悪い） ●**中途覚醒**：1度は入眠するが、翌朝起床するまでの間に何度も目が覚めてしまう状態 ●**早朝覚醒**：覚醒を望む時刻よりも早い時間（早朝）に目が覚めてしまい、その後入眠できない状態 ●**熟眠困難**：睡眠時間は十分であるにもかかわらず、ぐっすりと眠った感覚が得られない状態
過眠	日中（活動している時間）に過剰な眠気が出現し、居眠りを繰り返す状態
サーカディアンリズムの障害	**睡眠相前進症候群**：入眠と覚醒時刻が極端に早く、入眠を遅くしようとしても夕方からの眠気のために早い時間帯に入眠を余儀なくされ、早朝に目が覚め、再入眠できない状態 **不規則型睡眠・覚醒パターン**：睡眠と覚醒の出現が昼夜を問わず不規則になる。そのため、夜間にたびたび覚醒し、細切れの睡眠となり、日中にも短時間の睡眠がみられるようになる。
睡眠中の行動異常	**レム睡眠行動異常症**：レム睡眠中に出現する行動で、寝言や手足をもぞもぞ動かす程度から、起き上がって他者を殴る、壁などを蹴飛ばすなどの暴力動作を伴うこともある。

サーカディアンリズムとは

人間は元来、1日24時間の生体リズムであるサーカディアンリズム（概日リズム）を持っている。このリズムは刺激のない状態であれば25時間周期であり、光刺激（日光）、社会的因子（仕事・食事）など、外界からの同調因子によって修正され、24時間周期に保たれる。

高齢者は加齢による感覚機能の低下により、サーカディアンリズムが乱れやすい。加えて、現代の夜型生活が高齢者にも影響し、同調因子を減弱させる。
人間は本来、昼間に活動し、夜には睡眠をとってエネルギーを蓄える。夜間に十分な睡眠がとれないと、眠気の持続、疲労感の持続、イライラ感などの自覚症状を呈し、集中力・作業能力が低下して、さまざまな活動に影響を及ぼす。

レム睡眠とは

睡眠には、レム睡眠（浅い睡眠）とノンレム睡眠（深い睡眠）がある。レム睡眠時には脳波が活発であり、大脳は覚醒状態に近いといわれる。

STUDY　高齢者の睡眠障害

加齢に伴い睡眠障害が増加することは、多くの調査で示されている。加齢に伴う睡眠の生理的変化の特徴として多いものに、入眠障害・中途覚醒・熟眠感不足、早朝覚醒、昼の居眠り・昼夜逆転があげられる。

入眠障害	中途覚醒	熟眠感不足

入眠潜時（消灯から入眠するまでの時間）が長くなる。	入眠後の覚醒が多く、睡眠効率が低下する。	浅い睡眠の割合が増加し、深い睡眠が減少する。

早朝覚醒	昼の居眠り・昼夜逆転

睡眠相が前進する。	睡眠が多相性となる。

STUDY　身体的要因による睡眠障害

高齢者は身体疾患を持つ場合が多い。特に、疼痛や痒みを伴う疾患、呼吸器疾患、前立腺肥大症のような泌尿器系疾患などがあると、それらに付随する症状や不快感から睡眠障害を引き起こす。

STUDY　心理・社会的要因による睡眠障害

高齢者は、加齢による心身機能低下や社会的役割の喪失、近親者の死など、さまざまな喪失を体験する。これが引き金となって不安・抑うつ的な気分を抱き、不眠を訴えることが多い（精神生理学的不眠）。不眠は、老年期うつ病の最初のサインとして出現することがある。

また、退職や子供の独立など、社会的環境の変化から就寝時間が早まったり、活動量が減り、睡眠障害につながる場合もある。

睡眠障害に対するケア

睡眠障害の観察とアセスメントを行い、サーカディアンリズムに即したケアを行って、高齢者が夜間に十分な睡眠をとれるよう支援する。

PROCESS ① 睡眠障害の観察とアセスメント

睡眠は時間（量）だけでなく、深さ（質）も重要である。他者からみるとよく眠っていたのに、「よく眠れない」「寝た気がしない」と訴える場合は浅い眠り（レム睡眠）が多く、熟睡感が得られていない可能性がある。

睡眠には主観的な要素があり、睡眠時間だけでなく、睡眠中の様子、日中の過ごし方も合わせて情報を得る。さらに、普段の睡眠・覚醒のパターンがわかると対策を検討しやすい。

睡眠と休息のアセスメントのポイント

主観的情報	**睡眠・覚醒パターン**	①就寝時間・起床時間　②睡眠時間　③寝つき ④中途覚醒の有無と回数　⑤熟睡感　⑥目覚めの気分 ⑦日中の休息時間　⑧体位
	個人の習慣や認識	①寝つきをよくするために習慣的に用いている方法 ②何時間寝たらよいと考えているか ③どのような睡眠がよいと思っているか ④どのような睡眠をとりたいと思っているか
客観的情報	**昼間の外観**	①顔色が青白い　②眼の下のくま　③結膜の充血 ④眼瞼の下垂や腫脹　⑤表情が乏しい ⑥食欲不振　⑦姿勢の変化（背筋が曲がって元気がない感じ）
	昼間の行動	①頻回のあくび　②居眠り　③ゴロゴロしている ④注意力や集中力の低下 ⑤イライラしている　⑥会話（ろれつが回らない）
	睡眠中の様子	①呼吸の状態（いびき・無呼吸など）　②体位 ③睡眠時間　④中途覚醒の有無と回数
	内的環境	①睡眠を妨害する症状の有無：疼痛・掻痒感・発熱・悪寒・頻尿・尿失禁・腹満感・空腹感・動悸・息切れ・呼吸困難・咳嗽・鼻閉・末梢冷感・発汗・こむらがえりなど ②疾患：精神疾患・睡眠時無呼吸症など ③治療に伴う苦痛の有無：点滴・モニター類・安静・体位など ④心理的ストレス：心配・不安・恐怖・対人関係の悩みなど ⑤過剰な活動に伴う疲労 ⑥睡眠薬の使用の有無：種類・量・頻度 ⑦その他の睡眠障害をきたす薬物投与の有無：向精神薬・ステロイド薬・利尿薬・強心薬など ⑧睡眠に影響をきたす嗜好品の摂取：アルコール・コーヒー・紅茶・緑茶・刺激物・たばこなど
	外的環境	①場所：個室か、多床室か ②温度・湿度　③照明・採光 ④騒音：同室者のいびき・歯ぎしり、電気製品などの機械音、外の車の音など ⑤におい ⑥寝具：ベッドか布団か、ベッドの高さ、マットレスの硬さ、枕の種類・高さ、布団の重さ ⑦寝衣：木綿・化繊など材質の種類、和式寝巻き・パジャマなどの寝衣形態 ⑧睡眠を妨害する治療・処置 ⑨日中の活動・休息の内容と量

長谷川真澄：睡眠と休息のアセスメント．成人・高齢者看護のためのヘルスアセスメント，稲葉佳江編，メヂカルフレンド社，2004，p174より

PROCESS **2** サーカディアンリズムに即したケア

日常を離れた入院生活はサーカディアンリズムが乱れやすく、また修正がむずかしい。加齢による心身機能の低下、疾患や治療に伴う苦痛などが加わり、非日常性がさらに強化される。

サーカディアンリズムは短期間で修正しようとせず、毎日のアセスメントとケアを積み重ねていくことが大切である。

ASSESSMENT **1** 朝の覚醒を促す

ケアの
ポイント

● カーテンを開けて、光を取り入れる。

● 朝の整容（歯磨き・洗顔）を勧め、自分でできない人には介助して覚醒を促す。

● 食事時間になっても覚醒しない場合でも、朝食のセッティングを行い、食事の香り、周囲の人が食べている音を感じてもらう。

● 採光のよい場所に移動して、食事をとってもらう。

25時間周期

EVIDENCE

■ 光は交感神経活動を亢進させ、日中の覚醒度を上げる効果がある。

■ 1,500～2,500ルクス（lux）*程度の光を浴びるとメラトニン分泌が抑制され、より覚醒しやすい状態になる。

■ 食事をとることは、サーカディアンリズムの同調因子である。

*1,500～2,500ルクス（lux）は、天気のよい日の南からの日光と同程度

モーニングケア

朝の覚醒を促すには、起床時間にカーテンを開けて挨拶する、整容を勧め、食事を用意するといった、規則正しいモーニングケアが効果を発揮する。

カーテンを開けて、朝陽を室内へ。
明るく「おはようございます！」。

歯磨き・洗顔は目覚めの儀式。
自分でできない人には介助して。

朝食時間には、予定通りセッティング。
朝食の香りが目覚めを誘う。

ASSESSMENT **2** 日中の活動性を高める

**ケアの
ポイント**

● 午前中は窓際など、自然光が入る所で過ごす機会を作る。その際、まぶしくないよう工夫する。

● テレビ・ラジオ・本など、患者が興味を持てるものを探す。

● 他者との交流を持つ機会を増やす。

EVIDENCE

■ まぶしさを感じることは不快である。特に白内障があると、よりまぶしさを感じるため、工夫が必要である。

■ 他者との接触はサーカディアンリズムの同調因子の1つである。

患者の活動性を 高めるには

入院中の患者は、ベッド上安静や治療により活動の自由を制限される。疼痛や倦怠感があると、さらに活動性は低下。日中の臥床時間が増え、夜間の睡眠障害に至ることが多い。

このような患者の活動性を高めるには、まず、看護師自らがベッド上の患者の視点で病室を眺めてみよう。
荒涼とした天井、塀のように取り囲むカーテンなど、刺激に乏しい風景が目に入る。

ベッドを挙上し、カーテンを開けるだけでも、患者の目に入る風景は生き生きとしてくる。
疲労度や病状をふまえ、患者自らが活動性を高めていけるよう、できることからアプローチをしていく。

ベッド上仰臥位の患者からみえる風景

天井と照明器具、カーテンレールがみえる。

ベッド上仰臥位

カーテンでさえぎられ、圧迫感が強い。

ベッド上仰臥位

ベッド頭側を15度挙上すると、フットボードがみえるようになる。

頭側15度挙上

ベッドを15度挙上しカーテンを開けると、窓外の風景、人の動きがみえるようになる。

頭側15度挙上

ASSESSMENT 3 日中に適度な休息をとる

ケアのポイント

●睡眠障害があると、日中に眠気がおそってくる。それは自然なことであり、眠気を無理に我慢させることは、患者にとって苦痛である。

●日中に30分程度の休息をとることは、その後の活動によい影響を与える。ただし、夕方以降の昼寝は、夜間の睡眠に影響する。

日中の休息・昼寝

日中の眠気を無理に我慢させず、適度な休息をとらせる。

日中の休息・昼寝は30分程度に。

ASSESSMENT 4 スムーズに入眠できる環境を整える

ケアのポイント

●患者に睡眠のために行う習慣があれば、それができるよう支援する。

●夕方からは、徐々に周囲を暗くし、目にまぶしい光を当てないよう留意する。

●就寝時に室内が真っ暗だと、かえって入眠が困難な場合もある。直接目に光が入らないよう、側灯や足元灯をつけるとよい。

●疼痛や掻痒感など身体症状が強い場合は、内服薬・外用薬の使用時間を調整する。

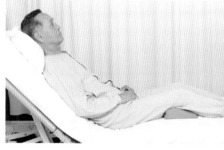

入眠環境の整え方

夕方からは、まぶしい光を目に当てない。

入眠習慣があれば、それを支援。身体症状が強い場合は薬の調整など、症状を和らげるケアを。

ASSESSMENT 5 夜間の中途覚醒を防ぐために

ケアの
ポイント

● 室温を調整する（冬季：16〜20度、夏季：25〜28度程度）。

● 掛け物の重さ、枕の硬さなど、寝具を調整する。

● 夜間の作業音（看護師の足音）や器械音（点滴のアラーム音など）の騒音は、極力回避する。

● 夜間に必要な処置がある場合は、直接目に光が入らないように注意する。

● 下剤は、夜間に便意を催さないよう、効果が出る時間を考慮して内服する時間を調整する。

睡眠を維持するには

室温・寝具を快適に整え、騒音や目に入る光を避ける。

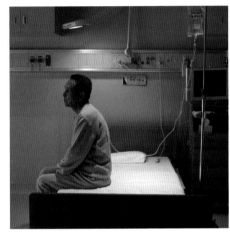

高齢者の中途覚醒の要因の1つである心理・社会的な側面や、入院・病気に対する不安・恐怖などにも看護師は心を傾け、高齢者の思いに寄り添うことが重要である。

ASSESSMENT 6 睡眠障害によって阻害される生活行動を支援

ケアの
ポイント

● 倦怠感や眠気により、水分・食事摂取が減少していないかを観察する。

● 不眠により注意力・判断力に影響がある場合は、転倒・転落の危険がないよう見守る。

EVIDENCE

■ 日中の眠気のため、水分・食事摂取量が減少すると、脱水症状を引き起こす危険性がある。

■ 眠気と脱水症状による意識障害とを見誤ると、重篤な状態になる可能性がある。

ASSESSMENT 7 薬物に対するアセスメントと管理

**ケアの
ポイント**

睡眠障害がケアのみで改善しない場合や、病状が改善せず覚醒を促すケアが実践できない場合は、睡眠薬などの補助を検討する場合がある。薬剤の処方は医師が行うが、薬剤の種類を選択する際、睡眠障害のタイプ、患者の生活に支障が出ている状況の把握が重要になるため、患者と濃密にかかわる看護師のアセスメント能力が求められる。

CHAPTER 3 睡眠のケア

- 睡眠薬を使わないと眠ることができず、日中の生活に著しく支障をきたす場合は、患者・医師を交えて睡眠薬の使用を検討する。
- 睡眠薬の中にはせん妄を助長するものもあるため、選択には注意を要する（ベンゾジアゼピン系薬剤など）。
- 高齢者には作用時間が短く、代謝されやすい睡眠薬を使用する。
- 睡眠薬の内服後は、入眠環境の調整に努める。
- 睡眠薬の有効作用時間が延長し、翌日への効果の持ち越しがないか、あれば減量や変更を医師と相談する。
- 利尿薬・強心薬・ステロイド薬など、睡眠に影響を及ぼすことが考えられる薬剤の内服時間について、医師と相談する。
- 睡眠薬の内服とともに、薬剤以外のケアを実践する。常に、アセスメントと評価を行いながら、睡眠薬の減量や中止を念頭におく。

EVIDENCE

- 高齢者は成人に比べ、睡眠薬の有効作用時間が延長しやすく、翌日への持ち越し現象がみられやすい。
- 睡眠薬による筋弛緩作用により、転倒・転落につながりやすい。

睡眠薬の選択

作用時間が短く、代謝されやすい睡眠薬が選択される。
有効作用時間の翌日への持ち越しがないか観察。必要時、医師と相談する。

睡眠障害のタイプ、患者の生活にどのような支障が出ているのかなど、看護師がアセスメント。
医師と相談し、薬剤の選択にアセスメント内容を生かす必要がある。

せん妄に対するケア

睡眠・覚醒障害とせん妄は、密接な関係にある。
せん妄が発症することにより夜間の睡眠リズムが狂い、
覚醒障害に至るケースがある。
反対に、夜間の不眠にさまざまな要因が重なり、
せん妄を発症、睡眠・覚醒障害が助長されるケースもみられる。

せん妄とは

せん妄とは、脳機能の失調により起こり、注意障害を伴った軽い意識の曇り、意識混濁を基盤とする状態のことをいう。

せん妄は急激に発症し、1日の中でも症状が変動する。症状としては認知機能障害、精神運動障害、睡眠・覚醒リズム障害などが出現する。

せん妄は、脳機能の回復とともに発症前の状態に回復し、可逆性である。多くは1週間程度で消失するが、高齢者や脳自体に脆弱性のある認知症高齢者、脳血管障害のある高齢者では遷延化しやすい。

せん妄の症状

4-1

● 周囲に対する認識の障害、注意の集中・持続の障害。

● せん妄時の体験の記憶がない、または部分的に欠ける。

● 認知機能の低下：記憶障害・見当識障害など。

● 幻覚（いないはずの虫や動物がみえるなど）と、それに伴う妄想。

● 精神運動性活動の亢進（興奮・混乱など）、または活動性の低下。

● 会話の内容が支離滅裂で、まとまりがない。

せん妄の診断

せん妄の診断には世界保健機関（WHO）の国際疾病分類（ICD-10）と米国精神医学会の診断・統計マニュアル（DSM-5）が広く用いられている。せん妄は意識障害の１つであり、認知機能障害を伴うとされる。

研究のための診断基準／せん妄、アルコールおよび他の精神作用物質によらないもの

A　意識混濁、すなわち周囲に対する認識の明瞭度の低下。これは注意を集中する、維持する、あるいは他へ移す能力の低下を伴う。

B　以下の2つの認知機能障害が認められること。
　　①即時想起と近時記憶の障害。遠隔記憶は比較的保たれる
　　②時間、場所、あるいは人物に関する失見当識

C　以下の精神運動性障害のうち、1項目以上が存在すること。
　　①活動性低下から活動性亢進への急速かつ予測不能な変化
　　②反応時間の延長　　③会話量の増大あるいは減少　　④驚愕反応の亢進

D　以下のうち1項目以上が認められる睡眠障害あるいは睡眠覚醒サイクル障害。
　　①不眠。重度であると全不眠になることがある。日中の眠気を伴うことも伴わないこともある。あるいは睡眠覚醒サイクルが逆転すること
　　②夜間の症状増悪
　　③混乱した夢および悪夢、これらは覚醒後、幻覚や錯覚となって続くことがある

E　症状は急激に出現し、日内変動を示すこと。

F　病歴・身体診察・神経学的診察・血液検査において、基準A-Dの臨床症状の原因であると推定しうる、基礎となる脳疾患あるいは全身疾患（精神作用物質関連のものを除く）の客観的証拠が存在しないこと。

> **コメント**
> 抑うつ、不安、恐れ、易刺激性、多幸感、無感情、驚きを伴う困惑などの情動障害、知覚障害（錯覚あるいは幻覚、しばしば視覚性）、および一過性の妄想が典型的であるが、これらはこの診断に特有の指標ではない。

ICD-10 精神および行動の障害. DCR研究用診断基準. 医学書院、2008. p48より

せん妄の原因

せん妄発症の原因・要因となるものは多岐にわたるが、直接因子・誘発因子・準備因子の３つに分けることができる。

せん妄の発症要因

直接因子	誘発因子	準備因子
●**脳神経疾患**：脳梗塞、脳出血、脳腫瘍、頭部外傷など ●**循環器疾患**：心不全、心筋梗塞、不整脈など ●**呼吸器疾患**：呼吸不全、肺梗塞など ●**感染性疾患**：肺炎、尿路感染症、敗血症など ●**内分泌・代謝障害**：腎不全、肝不全、低血糖・高血糖、電解質異常、脱水、甲状腺機能異常など ●**その他**：栄養障害、アルコール離脱 ●**薬物**：抗コリン薬、パーキンソン病治療薬、三環系抗うつ薬、ベンゾジアゼピン系睡眠薬、抗ヒスタミン薬、消化性潰瘍治療薬、副腎皮質ステロイド薬、非ステロイド系抗炎症薬、オピオイド鎮痛薬など	●**不快症状**：疼痛、瘙痒感など ●**排泄障害**：便秘、下痢、頻尿、失禁、尿閉、膀胱留置カテーテルの挿入、排泄方法の変更 ●**可動制限**：安静指示、身体拘束、カテーテル類の挿入など ●**感覚障害**：視覚障害、聴覚障害、不適切な感覚刺激（騒音、モニターの音・光、夜間照明、個室への隔離など） ●**絶飲食** ●**睡眠障害**：不眠、昼夜逆転など ●**心理的ストレス**：不安、緊張、拘束感、孤独感、怒り、不信感、対人トラブルなど	●高齢 ●認知症 ●脳神経疾患の既往 ●せん妄の既往

長谷川真澄:せん妄.山田律子,内ヶ島伸也編「生活機能からみた老年看護過程 ＋病態・生活機能関連図 第4版」医学書院, p.466,2020.より引用

CHAPTER **3** 睡眠のケア

せん妄と認知症

せん妄と認知症との判別ポイント

せん妄と認知症の症状は類似しており、判断に迷うケースがしばしばみられる。
せん妄と認知症は、発症が急激かどうか、症状の変動があるか、
可逆性かどうかの3点に大きな違いがある。

せん妄　VS　認知症

急激に発症

入院した時点では月日・曜日も答えられ、入院目的も理解していた患者が、急に入院していることがわからなくなり、「帰る」と言い出して興奮する。このように、せん妄は急激に発症する。

発症

年単位で徐々に発症

最初は認知症の症状なのか、加齢に伴う認知機能低下なのか、区別がつきにくい。
症状は年単位で進行し、ついには日常生活に支障が出るようになる。

日内でも認知機能が変動

夜間せん妄に代表されるように、日中は見当識障害もなく過ごし、夜になると「そこに虫がいる」などの幻覚や見当識障害が出現する。翌日の朝には、以前の状態に戻っているというように、せん妄は認知機能が1日のうちでも変動する。

認知機能の変動

認知機能の変動なし

認知症は、症状の変動がほとんどみられない。例えば、認知症があっても、今いる場所が病院だと答えられた人が、突然自宅や職場にいると思い込んでしまうような症状が出現し、かつ変動がある場合はせん妄を疑う。

せん妄は可逆性

せん妄の発症期間中は認知機能障害が続くが、原因・要因が改善すると、せん妄症状も消失する。
せん妄は可逆性である。

可逆性不可逆性

認知症は不可逆性

認知症は脳の器質的障害であるため、ゆっくりと何年もかかって進行し、いったん症状が出ると不可逆性である。

せん妄とアルツハイマー型認知症の比較

	せん妄	アルツハイマー型認知症
発症様式	急激	潜在性
初発症状	注意集中困難・意識障害	記憶障害（近時記憶障害）
経過	動揺性	徐々に進行
症状の持続	数時間〜数週間	数か月〜数年以上
注意	注意の方向や集中が困難	影響されにくい
覚醒水準	動揺する	正常である

せん妄ケアシステム（東京都健康長寿医療センター）

入院時に「せん妄アセスメントシート」を記入せん妄リスクのアセスメントを行う 患者・家族へ説明医師と連携し、せん妄についての情報提供をする 「せん妄アセスメントシート」に基づき、せん妄予防ケアもしくはせん妄ケアを実施する 評価をする入院3日目・7日目に実施する

CHAPTER **3** 睡眠のケア

PROCESS **1** せん妄のアセスメント

せん妄を発症すると病気からの回復が遅れ、入院期間の延長とそれに伴う医療費の増加が大きな問題となる。

家族の衝撃も大きく、認知症になったのかと心配する。患者自身も、興奮・錯乱状態で不眠が続くと心身ともに疲弊し、治療中の疾患の悪化、新たな疾患に罹患する危険性が出てくる。

せん妄のリスクを適切にアセスメントし、予防すると同時に、せん妄の発症時をいち早くキャッチし、対応することが重要となる。

ASSESSMENT せん妄の予防と早期発見

せん妄の発症予測は簡単ではないが、高齢者個々のリスクファクターを把握し、せん妄予防ケアを実践すること、その中で小さな変化をとらえ、万一発症した場合に早期に対応することによって、せん妄の遷延や悪化を防ぐことが必要である。

観察・ケアのポイント

●発症のリスクを予測
入院前、日常生活を送っている時の患者の状態を把握し、せん妄発症のリスクを予測する。

●早期発見・早期回復
せん妄を早期に発見し対応することで、症状の遷延を回避し、早期に回復することができる。

●せん妄のアセスメントツール
せん妄の予防や早期発見のためには、高齢者個々のリスクファクターを把握しながら意識レベルのスクリーニング、認知面・注意面・行動面からのアセスメントが必要である。

●認知症との判別
普段の認知機能、記憶障害・見当識障害の有無と程度を把握しておく。万一、記憶障害・見当識障害が出現し混乱をきたした場合、それがせん妄の症状なのか、認知症の症状なのかを判断する有効なヒントとなる。

せん妄のアセスメントツール

目 的	アセスメントツール	特 徴
せん妄のスクリーニング	Delirium Screening Tool：DST（文献24）	●せん妄の可能性があるかどうかを簡易的に判別できる。 ●患者への負担が少ない。
認知面・注意面・行動面からのアセスメント	日本語版 ニーチャム混乱・錯乱スケール（文献25）	●看護師が通常のケアを通して対象者の行動・反応に基づき、混乱・錯乱の程度を測定できる。 ●せん妄に至る前の混乱状態を早期に把握できると同時に、活動減少型せん妄の発見に役立つ。

せん妄アセスメントシート（東京都健康長寿医療センター 認知症ケア委員会）

STEP1 せん妄のリスク因子の確認　入院時

A項目
- □脳器質的障害（脳転移・神経変性疾患含む）
- □認知症
- □せん妄の既往
- □アルコール多飲
- □ベンゾジアゼピン系内服

B項目
- □70歳以上
- □全身麻酔を要する手術またはその予定がある

○B項目のみ該当
　○A、Bともに該当しない場合は、経過観察

○A項目のみ該当もしくはA＋B項目に該当

STEP2-1 せん妄症状のチェック

具体的な症状と観察するポイント

見る　有□　無□
- □ぼーっとしている、あるいは、もうろうとしている
- □いらいらしたり、そわそわしている（焦燥感、落ち着かなさ）
- □周囲の音や動きに気をとられる
- □ルート類をむやみに触る
- □起き上がったり臥床したり、あるいは荷物の出し入れなどを繰り返す（同じ動作を繰り返す）
- □睡眠のリズムが乱れている

聞く　有□　無□
日付けや場所がわからない（見当識障害）：質問して確認する
- □（時間）　●今日の日付を聞く　　●今の時間が何時頃か聞く
- □（場所）　●今いる場所について尋ねる
- □入院した理由がわからない：質問して確認する
- □同じことを何度も聞いたり、話したりする

話す　有□　無□
- □話がまとまらなかったり、集中できない
- □実際にないものが見えたり、聞こえたりする

○「有」の場合　　○「無」の場合

STEP2.5A ハイリスク患者に対するせん妄対策へ

○「有」の場合　　○「無」の場合

STEP2.5B
ハイリスク患者に対するせん妄対策
◎せん妄対策セット
【看護指示】【観察項目】それぞれ立ち上げ確認
　　　　　　　　　　　　　毎日チェック
※看護計画は立案なし

STEP2-2 せん妄症状のチェック

STEP2-1の項目について、以下を家族などの同伴者に質問する
「1日あるいは数日の間に突然出現した、あるいは悪化した」
有 □　　無 □

○「有」の場合　　○「無」の場合　　　　○「有」の場合　　○「無」の場合

STEP2.5A ハイリスク患者に対するせん妄対策
◎「せん妄ハイリスク」とアセスメントシートに記載
◎看護計画を立案：「急性混乱リスク状態」
◎医師と「せん妄ハイリスク」について情報共有

**A・B項目にひとつでも該当した場合は
せん妄ハイリスクケア加算を算定する**
↓
**せん妄ハイリスクケア加算コスト算定
画面へ**

「急性混乱リスク状態」に該当しない＝終末期における意識障害や重度認知症による無動無言状態の患者
◎ADLもしくは廃用の進行予防、苦痛の軽減など、患者に合った看護計画を立案

STEP3 せん妄対応

○「せん妄症状が疑われる」とアセスメントシートに記載し、看護計画を変更
　過活動型：「急性混乱」
　低活動型：「急性混乱」もしくは低活動状態に関連する診断ラベル
　例：身体可動性障害
　摂食セルフケア不足
　排泄セルフケア不足
　栄養摂取消費バランス異常
　　：必要量以下　など
○医師と「せん妄症状あり」について情報共有

「急性混乱リスク状態」に該当する
評価：3日、7日で実施
7日で混乱がなければ計画変更

体	□炎症	感染徴候の検索と対応、熱・苦痛の緩和
	□低酸素	低酸素の評価と酸素投与の検討
	□電解質異常（Na、Ca）	採血データの確認、補正
	□脱水	飲水励行、脱水補正
	□便秘	排便の確認、排便コントロール
	□疼痛	疼痛の評価と適切な疼痛マネジメント
	□睡眠への障害	睡眠時間中のケア、処置を極力避ける
	□低活動	日中の活動を促す
環境	□難聴、視覚障害	眼鏡、補聴器の使用、耳垢の除去
	□環境変化によるとまどい	安全な環境作り、転棟・部屋移動を避ける
認知	□理解力低下	適切な照明とわかりやすい標識 見当識を促す（時計とカレンダーの設置） 家族や友人との定期的な面会
薬	□せん妄の原因となる薬	中止・減量を検討：ベンゾジアゼピン、ステロイド、オピオイド ※不眠・せん妄薬剤マニュアル参照
	□せん妄症状を改善する薬	リスペリドン®、クエチアピン®、ペロスピロン® など ※不眠・せん妄薬剤マニュアル参照

その後の評価は
・看護計画上で状態に合わせ適宜評価
・看護計画に基づき観察・ケアを実施
・せん妄改善→評価→新たな計画を立案

※大事なのは診断できることではなく
せん妄予防とケアがすぐに始まること

PROCESS 2 せん妄ケアの実際

せん妄状態にある高齢者には、身体要因・環境要因を取り除き、
見当識障害や家族へのケアを行う。

CARING せん妄状態にある高齢者へのケア

せん妄は多要因から起こることを念頭におき、
まず、せん妄の原因と考えられる身体要因を取り除いたうえで、環境を落ち
着けるものとし、現実の見当識が持てるケアを行う。

観察・ケアのポイント

●身体要因を取り除く
せん妄の原因は多岐にわたるが、その中でも直接的要因となる身体要因を取り除くことが必要である。

●見当識の維持への支援
カーテンを開放するなど、外の様子や周囲の状況がわかるようにする。
車椅子で移動したり、ベッドをギャッチアップして、外や周囲をみることができるようにする。
カレンダーや時計を準備し、日時を一緒に確認できるようにすることも、現実への見当識を維持するために重要である。

●患者を取り巻く環境調整
不必要なカテーテルやルート類を取り除いたり、見えないように（触れないように）工夫する。眼鏡や補聴器を使用してもらう。
疼痛や苦痛はできるだけ除去し、日常生活で患者が慣れ親しんだものを周囲に置く。
さらに、家族や安心できる人にそばにいてもらうなど、患者を取り巻く環境を快適で落ち着けるものへと調整する。

●家族へのケア
家族には、せん妄について基本的な知識をわかりやすく説明する。
患者を説得したり、叱ったりせず、家族としてどのようにかかわればよいのかを話す。
患者の発症に対して、家族が抱える葛藤や疑問を理解し、共感的態度で接する。

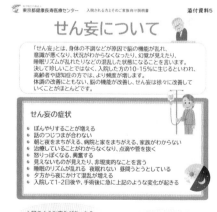

東京都健康長寿医療センター　入院される方とそのご家族向け説明書　添付資料5

せん妄について

「せん妄」とは、身体の不調などが原因で脳の機能が乱れ、
意識が悪くなり、状況がわからなくなったり、幻覚が見えたり、
睡眠リズムが乱れたりなどの混乱した状態になることを言います。
決して珍しいことではなく、入院した方の10-15%に生じるといわれ、
高齢者や認知症の方では、より頻度が増します。
体調の改善にともない、脳の機能が改善し、せん妄は徐々に改善していくことがほとんどです。

せん妄の症状
- ぼんやりすることが増える
- 話のつじつまが合わない
- 朝と夜をまちがえる、病院と家をまちがえる、家族がわからない
- 治療していることがわからなくなり、点滴や管を抜く
- 怒りっぽくなる、興奮する
- 見えないものが見えたり、非現実的なことを言う
- 睡眠のリズムが乱れる　夜眠れない　昼間うとうとしている
- 夕方から夜にかけて混乱が増える
- 入院して1-2日後や、手術後に急に上記のような変化が起きる

上記のような変化があったら
スタッフに教えてください

せん妄は、体の病気の治療に悪い
影響を与えうるので、予防や早期の
気づき、適切な対応が大切です

詳しくは裏面へ！

入院患者・家族向けの説明書（東京都健康長寿医療センター）
入院患者やその家族へのせん妄の説明には、このようなわかりやすい説明資料を各病院で作成し、活用するとよい。

せん妄ケア手順（東京都健康長寿医療センターの例）

苦痛の軽減	●疼痛が予測される疾患や術後などは、積極的な疼痛コントロールを行う 　薬物療法以外のケア：体位の工夫、温罨法・冷罨法の実施 ●苦痛について聴く（聴き方は、コミュニケーション項目参考） ●ルート類が気にならないように工夫する 　顔にかかっていないか／手が届く位置にないか／体動時に引っ張られないか／固定テープによるひきつれや掻痒感はないか／固定の包帯がきつくないか　など ●同一体位にともなう苦痛の軽減 　体位変換時や身体拘束を一時解除し、他動的ROMを実施する
コミュニケーション	●話しかける際は、正面からゆっくりと近づき、まず声をかけ相手が反応したら優しく身体に触れる ●いきなり説明や説得をせず、傾聴し思いに共感してから説明する ●一つの文にひとつの内容で、患者の反応に合わせて話す 　※その時の患者の理解度に合わせる ●幻覚や錯覚がある場合 　まずは否定せずに患者の体験を受け止める「○○さんはそう感じるのですね」 　→傾聴したうえで、カーテンを開ける、外を一緒に眺めるなど、視覚情報を変えてみたり、さり気なく違う話題をもちかける ●治療やケアを拒否した場合 　無理強いせず、他の人と交替したり、時間をおいてから再度試みる
環境調整	●見当識の維持への支援 　可能な限り補聴器や眼鏡、義歯を装着する 　時計・カレンダーを設置し、日常会話の中で日時を一緒に確認する 　※見当識を確認する場合は、質問よりもこちらから情報を提供し一緒に確認する 　カーテンを開ける機会を設け、時間に関する情報を提供する 　馴染みの物や写真などを目につく場所に飾り、一緒に確認する ●早期離床の取り組み 　病状に合わせて臥床状態から離床へと進め、ADL拡大に努める 　（ベッド上での頭部挙上→端座位→車椅子への移乗→歩行　など） ●生活リズムを整えるための支援 　入院前の生活パターンを把握し、可能な限り生活環境を工夫する 　（ベッドから降りる位置、一日の過ごし方　など） 　予定が知りたい患者には、予定表を作成し一緒に確認する 　患者が好む音楽やTV、ラジオ、新聞、雑誌などを準備する ●脱水の予防・改善 　患者の状態に合わせて水分摂取ができる環境を整える ●活動と休息のバランスをとる 　病状に合わせ、日中の活動の機会を増やす 　疲労がみられたり、眠気が強い場合は、短時間の睡眠を提案する ●適切な睡眠管理 　夕方以降の照明は、直接目に光が当たらないよう工夫し、消灯後の照明は患者の好みに合わせ、調整する 　排泄パターンを把握し、タイミングをはかったトイレ誘導を行う 　不眠の場合その要因をアセスメントし、できるだけ改善する 　不眠時・不穏時指示を使用する場合は、患者の症状に合わせた選択を行う 　（不眠・せん妄マニュアル参照、迷ったらリエゾンチームに相談） ●ナースコールをすぐに押せないと判断せずに、根気よく説明したり、メモを目につく場所に貼るなどの工夫をする

〝身体拘束をしない看護〟の実践に向けて

2000年にスタートした介護保険制度にともない、介護保険施設などでは「身体拘束ゼロ作戦」が展開され、様々な取り組みが進められてきた。医療の現場でも「身体拘束は仕方がない」という思考から〟身体拘束をしない看護〝をめざす病院が増えているが、課題は多い。

身体拘束は、転倒や転落、カテーテル類の自己抜去などの回避を目的としているが、一方で身体拘束を行うことでみられる弊害もある。
以下に、身体拘束を検討する際に必要なアセスメントのポイントと身体拘束による二次的な弊害について挙げる。

本当に身体拘束が必要なのか？

介護保険指定基準では、身体拘束の必要性を検討する際、「切迫性」「非代替性」「一時性」の3つの要件(文献22)を満たし、かつ、それらの確認等の手続きが極めて慎重に実施されているケースに限られている。病院においてもこの3つの要件を満たすのかを検討すること、それを判断するにあたっては看護師個人で行うのではなく、医師を含めた複数で判断すべきである。

● **切迫性**：利用者本人または他の利用者等の生命または身体が危険にさらされる可能性が著しく高いこと。

● **非代替性**：身体拘束その他の行動制限を行う以外に代替する介護方法がないこと。

● **一時性**：身体拘束その他の行動制限が一時的なものであること。

身体拘束による弊害を発生させない

3つの要件を満たし、やむを得ないと判断した場合、二次的弊害があることを念頭に置く。

1	臥床状態が続くことによる嚥下機能低下、無気肺形成
2	同一体位の持続による褥瘡、身体拘束中の体動によるスキン-テア
3	同一体位の持続による末梢循環不全、神経障害
4	同一体位の持続による筋力低下、関節拘縮
5	行動を制限されることによる精神的弊害 （不安の増強、怒り、悲しみ） →せん妄の発症、悪化、認知症の進行、ストレス性潰瘍が生じる可能性

これらが発生すると、本来私たちがめざす「高齢者の機能回復」とは、真逆の結果を招くことになる。やむを得ず身体拘束を実施する場合は、細かな観察を行い、ROM運動や見守り下で解除する時間を作る等のケアが必須である。
入院中の転倒や転落、ルート類の自己抜去は、認知症を有する患者やせん妄を発症している患者に多くみられる。「認知症だから…」「せん妄だから…」仕方がないと諦める前に、なぜ歩こうとするのか、ルート類を抜こうとするのかなど、患者の立場になって考え、患者の行動の根底にある思いを知ることで、身体拘束以外の方法がみえてくる。

転倒・転落の予防

高齢者の転倒は日常的に高い頻度で発生する。

厚生労働省が発表している資料（文献26）によると、不慮の事故による死因の内訳として転倒・転落による死亡は、交通事故を上回っている。

また、転倒・転落に伴う外傷や骨折は、フレイルもしくは要介護状態へ移行する要因となり得る。患者の生命を守り、健康寿命を維持して地域での生活が継続できるよう支援するためにも、転倒・転落の予防は重要である。

転倒の定義

● 自分の意思からではなく、身体の足底以外の部分が床に着いた状態をいう。地面または、より低い場所に膝・手などが接触すること、階段・台・自転車からの転落も含まれる。

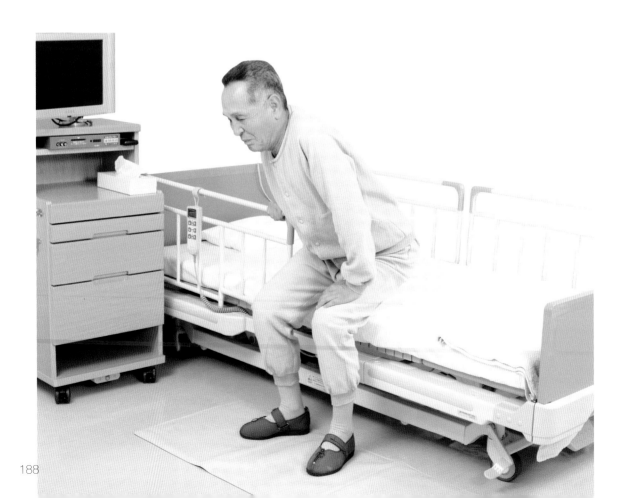

STUDY 高齢者の転倒・転落

高齢者の歩行は、筋力低下に伴い、歩幅が狭く、歩高が低くなる。前傾・前屈姿勢によりバランスが悪く、すり足状態であるため、つまずきやすい。危険物を回避する能力も低下している。さらに外的環境要因も加わって、転倒・転落が起きやすい。

当センターにおける年齢別の転倒・転落発生件数

（n=5870件）

- 30歳未満 6
- 30～49歳 61
- 50～59歳 142
- 60～69歳 504
- 70～79歳 1698
- 80～89歳 2625
- 90～99歳 819
- 100歳以上 15

凡例：不明／転落／転倒

調査機関：東京都健康長寿医療センター
集計期間：発生日（2012/04/01～2022/03/31）

CHAPTER 3 転倒・転落の予防

転倒・転落の危険因子

内的危険因子
- 筋力低下
- バランス障害
- 歩行障害　発熱
- 認知症　視力低下
- 起立性低血圧
- 睡眠薬内服

外的危険因子
- 環境変化
- 不適当な照明
- 滑りやすい床
- 動線の変化
- 履物　段差
- 遠慮・過信

老化によるバランスと歩行の変化

- 高齢者は安定した立位姿勢の保持能力、姿勢変化に対する姿勢保持能力が低下する。

- 高齢者では血圧下降をモニターして、交感神経系を活動させ、血圧を元のレベルに戻す圧受容器や反射調節系の機能が低下している。

- 認知症の場合は、患者自身が自分の意思を伝えられない、状況判断ができない、判断力低下などの理由から、自ら行動を起こしてしまい、危険回避ができない。

- 70歳代以上になると65～85％が白内障を認める。水晶体の混濁により、外界からの光が通りにくく、ぼやけ・かすみ・まぶしさ・夜間みえにくいなどの症状が出る。

- 睡眠薬内服時は、覚醒時にふらつきなどの状態が起こることがある。

STUDY 転倒の場所

入院期間中は活動するエリアが制限される。また、先述のフレイルの状態や要介護状態であれば、活動するエリアは限られてくる。円グラフで示したように、1日の中で最も滞在時間の長い病室の環境を整えることは、転倒・転落の予防において重要である。

転倒時の詳細内容

❶ 起立性低血圧・発熱などにより、立ち上がった時に立ちくらみがして転倒した。
❷ 夜間、ベッド柵が開いていない反対側から降りようとして、ベッド柵を乗り越えてバランスを崩した。
　夜間、中途覚醒時に病院であることを忘れて、トイレに行き転倒した。
❸ ベッドの端に腰かけ、シーツが滑った。
❹ ポータブルトイレに移動するときに転倒した。
❺ トイレの際、パジャマや下着を上げ下げする時、バランスを崩した。
❻ パジャマを替えようとして、片足を上げた時にバランスを崩した。
❼ ベッドに上がって棚の上の物を取ろうとして、マットが柔らかいためバランスを崩した。
❽ カーテンがうまく引けず、バランスを崩した。
❾ 冷蔵庫の前にしゃがんでバランスを崩して、しりもちをついた。
❿ 車椅子からベッドに戻る時、フットレストを上げず、乗り越えて移動しようとしてバランスを崩した。
　車椅子からベッドに戻る時、ストッパーをかけずに移動して車椅子が動いた。

東京都健康長寿医療センター 平成19年・20年調査（n＝776名）

当センターにおける転倒・転落発生場所

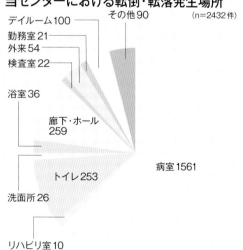

（n=2432件）

- デイルーム 100
- 勤務室 21
- 外来 54
- 検査室 22
- その他 90
- 浴室 36
- 廊下・ホール 259
- 病室 1561
- トイレ 253
- 洗面所 26
- リハビリ室 10

調査機関：東京都健康長寿医療センター
集計期間：発生日（2017／01／01～2022／01／01）

転倒・転落を予防するケア

転倒・転落は患者ごとのリスクを評価し、個々の患者に合ったケアを行うとともに、患者自身も転倒・転落の危険性を自覚し、施設と患者が共同して予防策を行うことが必要である。

PROCESS ① リスク・アセスメントと患者への説明

アセスメントシートを用いて、患者ごとに転倒・転落リスクを評価する。
患者に説明して意識を変え、転倒・転落予防につなげる。

ASSESSMENT 患者ごとのリスクを評価して、意識を変える

ケアの
ポイント

● 家庭での生活様式（ベッドか布団かなど）、排尿間隔、夜間の睡眠状態などの情報を収集する。
● 患者の状態は入院後数日たつと変化するため、3〜4日後に再評価する。
● 患者の状態変化に合わせ、または手術時などは状態変化を予測して、評価を繰り返す。

リスクアセスメントの項目例

年 齢	□80歳以上
	□麻痺、浮腫、腫れがある　□38度以上の発熱
活 動	□ふらつきがある
	□視覚障害や聴覚障害がある
	□車椅子・杖・歩行器を使用している
	□不穏行動がある
認 識	□理解力・記憶力の低下がある
	□認知症の既往がある
	□自立心が強い、自分を過大評価する
排 泄	□排泄時見守りが必要　□排泄時介助が必要
神経系に作用する薬剤	□めまい・ふらつき等の副作用がある薬剤
環 境	□緊急入院・転院・転ベッド（48時間以内）
	□点滴・酸素吸入・ドレーン類あり

入院時には、入院生活で起こりやすい転倒・転落について説明し、注意を喚起する。
さらに、患者自身に「転倒・転落リスクチェックシート」に記入してもらい、自分自身で転倒・転落リスクを意識してもらう。

POINT

■ 転倒・転落事例を具体的に紹介して説明。患者に、自分にも起こりうることとして受け止めてもらう。
■ 患者自身が転倒・転落リスクを理解することが重要である。
■ 患者自ら転倒・転落リスクをチェックすることで意識し、行動変化を起してもらう。

CHECK! 転倒・転落について説明後の意識変化

患者用パンフレットを用いて説明した後、患者にどのような意識変化が現れたか、当センターでの調査結果を紹介する。

患者用パンフレットを用いた説明後の患者の意識変化

入院3〜4日後にインタビュー/n=430（この期間の入院患者1018名）/東京都健康長寿医療センター 平成19年度調査

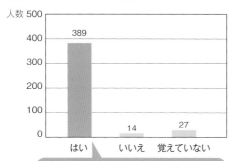

説明を受けたか？

人数
- はい：389
- いいえ：14
- 覚えていない：27

入院時、転倒・転落の危険性について説明を受けた

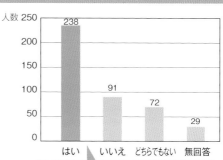

説明後、注意するようになったか？

人数
- はい：238
- いいえ：91
- どちらでもない：72
- 無回答：29

説明を聞いた後、転倒・転落に注意するようにしている

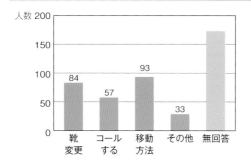

注意するようになった内容は？

人数
- 靴変更：84
- コールする：57
- 移動方法：93
- その他：33
- 無回答：（数値未記載）

〈回答例〉
- 履き慣れた靴をしっかり履き、ゆっくり歩く。
- 手すりにつかまって歩く、起きてすぐに歩かない。
- 段差に気をつけ、パジャマの裾に気をつけるようになった。
- 眠前薬を飲む前に、トイレをすませるようになった。
- ベッドから下りる時は、足をきちんと下ろし、つかまりながらゆっくり動く。

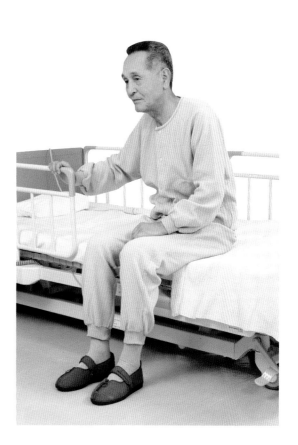

CHAPTER 3 転倒・転落の予防

PROCESS ② 転倒・転落予防策の実施

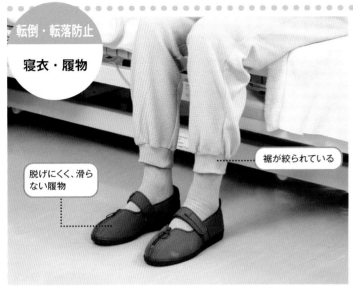

転倒・転落防止

寝衣・履物

脱げにくく、滑らない履物

裾が絞られている

寝衣の裾は、床に着かない長さにする。寝衣のズボンは、足首を絞ったデザインが望ましい。

通常のパジャマのズボンは、裾にゴムを入れて緩めに絞るとよい。

寝衣の裾が床に着かず、踏みつけたり、足に絡んだりしないことがポイントである。

●

履物は脱げにくく、滑らないものを選択する。スリッパは脱げやすく、滑りやすいため避ける。普段、履き慣れたものがよい。

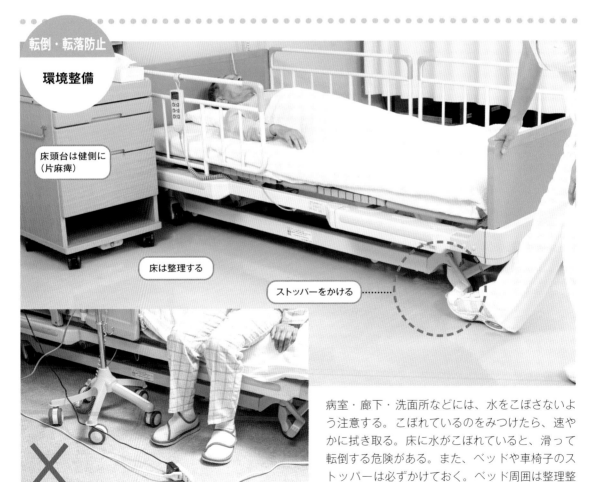

転倒・転落防止

環境整備

床頭台は健側に（片麻痺）

床は整理する

ストッパーをかける

コード類はつまずきの要因となるため、歩行ルートを整理する。

病室・廊下・洗面所などには、水をこぼさないよう注意する。こぼれているのをみつけたら、速やかに拭き取る。床に水がこぼれていると、滑って転倒する危険がある。また、ベッドや車椅子のストッパーは必ずかけておく。ベッド周囲は整理整頓し、物品は取りやすいよう配置する。片麻痺がある場合は、床頭台は健側に設置する。

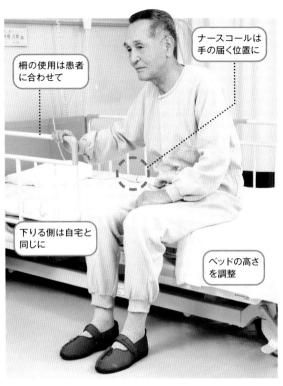

柵の使用は患者に合わせて

ナースコールは手の届く位置に

下りる側は自宅と同じに

ベッドの高さを調整

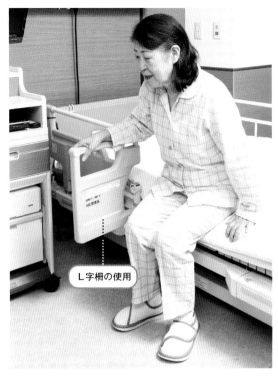

L字柵の使用

患者が自宅のベッドで右側から下りている場合は、病室のベッドも右側から下りられるようにする。ベッドの高さは患者に合わせ、立ち上がり動作がスムーズにできるよう調整する。柵の使用も患者の状況に合ったものを選択する。

また、ナースコールは常に患者の手の届く範囲にあるよう、配慮する。

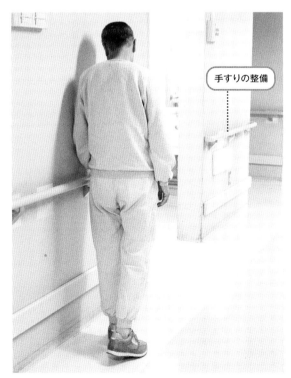

手すりの整備

歩行ルートは整理する

病室や廊下には手すりを設置し、歩行時につかまって歩けるよう整備する。

病室内や廊下には、歩行の妨げになるようなものは置かず、歩行ルートを安全に整える。

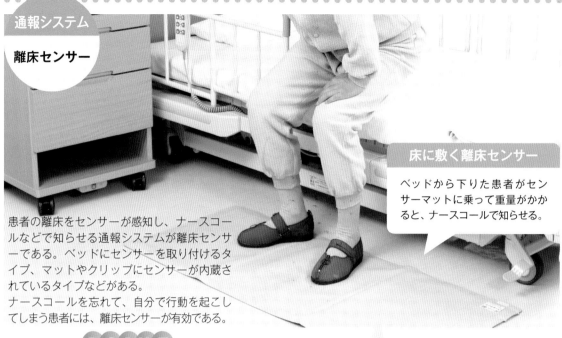

通報システム

離床センサー

床に敷く離床センサー

ベッドから下りた患者がセンサーマットに乗って重量がかかると、ナースコールで知らせる。

患者の離床をセンサーが感知し、ナースコールなどで知らせる通報システムが離床センサーである。ベッドにセンサーを取り付けるタイプ、マットやクリップにセンサーが内蔵されているタイプなどがある。

ナースコールを忘れて、自分で行動を起こしてしまう患者には、離床センサーが有効である。

POINT

- 離床センサーの使用にあたっては、患者に説明し、事前に了承を得る。
- 離床センサーと床の間の隙間につま先を引っ掛けて転倒する恐れがあるため、離床センサーの四方をテープで留め、隙間をなくすとよい。

離床センサーと床の間に隙間ができないように、テープを貼る

ベッド柵に離床センサー

ベッド柵に巻くタイプの離床センサーもある。患者が起き上がろうとベッド柵に手をかけると、荷重を感知してナースコールで知らせる。

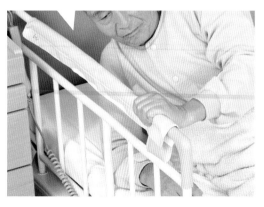

シーツの下に離床センサー

マットレスの縁を覆うようにして設置するタイプの離床センサー。患者がベッドから下りようと移動すると、マットに重量がかかり、ナースコールで知らせる。

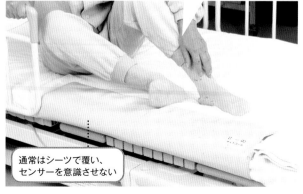

通常はシーツで覆い、センサーを意識させない

通報システム

転倒むし®

患者の衣服などに転倒むし®の頭から延びるクリップを付けておく

「転倒むし®」は、頭（黒色）と胴体（赤色）がマグネットで固定されており、患者の動きによって分離することで、センサーが反応する。離床センサーよりも早い段階で患者の動きに気が付くことができる。クリップをつける場所、紐の長さ、マグネットの強さは調節できる。

POINT

■ 装着前に患者に使用目的を説明する。

■ 患者自身がクリップを外してしまう場合を想定し、定期的に確認する。

■ クリップと紐が気になってしまう患者の場合は、装着する場所を工夫する。

■ 紐が巻き付くことで事故に繋がる可能性がある。体動の激しい患者、自傷行為の疑いがある患者への使用は慎重に検討する。

患者の体動によって転倒むし®胴体から頭が外れ、ナースコールが発報する

転倒・転落防止

転倒予防シューズ

筋力や関節の柔軟性が低下した患者の歩き方は履物の影響を受けやすく、履物が原因で転倒する事例も少なくない。そのため、患者の歩き方に合わせた靴の選択が大切である。
転倒予防の目的で作られた靴が多数販売されているため、それらを活用することも有効である。

写真提供／アサヒシューズ株式会社

POINT

靴選びのポイント

■ 足にフィットするもの。

■ 足の指に合わせて靴が曲げられるもの。

■ つま先が上がっており、地面との間に隙間ができるもの。

※厚底の靴は段差で躓きやすく、靴底がすり減った靴はバランスを崩しやすいため、使用を避ける。

写真提供／株式会社マリアンヌ製靴

評 価

転倒・転落予防策は、定期的にケアプランを評価し、追加・修正を加えていく。
評価日を決めて、カンファレンスを持つとよい。

カンファレンス

患者の状態の変化に合わせ、タイムリーに評価し、ケアプランの追加・修正を行う。
ケアプランを追加・中止する場合は、経過記録に必ず評価内容を記載する。
また、患者に遠慮をさせないよう、説明・配慮を十分に行うこと、理解力低下のある患者には繰り返し説明することなども、カンファレンスで確認する。

POINT

■ ケアプランの評価は定期的に行う。
■ タイムリーに評価し、ケアプランを追加・修正する。

CHAPTER 3

高齢者ケアの実際

コミュニケーション

高齢者とのコミュニケーション

CHAPTER 3

高齢者ケアの
実際

高齢者との
コミュニケーション

コミュニケーションは、人が社会生活を営むうえで不可欠なものであり、
看護においても大きな位置を占める。
コミュニケーションに障害が生じると、社会参加への意欲も減退し、フレイル・
要介護の要因になりかねない。
スキルの活用いかんによって、看護の質にも影響を与える。
高齢者とのコミュニケーションにおいては、
加齢に伴う視覚・聴覚・精神機能の低下を理解したうえで、
高齢者一人一人の持てる力や五感を活かした工夫が大切である。

コミュニケーションの基本姿勢 5-1

- 共感的、受容的態度で接する。言葉が通じない状況では、ジェスチャーや文字、絵を用いることもある。
- 専門用語は避け、わかりやすい言葉を使い、短い文章で具体的に話すことが重要である。
- 相手の表情や動作などから、感情や意思を読み取ることも必要である。
- ケアの前には、これから何をするのかを丁寧に説明し、理解と同意を得る。
- 状況に応じて肩に触れるなど、スキンシップも大切である。
- 患者の話を遮らず、傾聴する。
- 落ち着いた低い声でゆっくりと話す。

コミュニケーションに影響する加齢による心身の変化

- 聴覚機能：音に対する感度の低下、言葉の聞き取り能力の低下
- 視覚機能：視力の変化（老視、動体視力の低下）、
   視野の感度の低下、
   光への適応力の低下、
   色覚の変化
- 精神機能：流動性知能の低下、
   記憶力の低下

視覚

触覚 聴覚

STUDY 基本的なコミュニケーションのプロセス

コミュニケーションには、送り手と受け手がいる。まず送り手が伝えたいこと、考えていることを記号化し、メッセージとして伝達・送信することから始まる。

記号化とは、伝えたい思いを受け手に伝達可能な言葉・身振り・表情などに変換することである。

受け手は、送られてきたメッセージを解読し、それに対する思いや意図を記号化して相手に伝達・送信する。基本的には、このプロセスの繰り返しでコミュニケーションが成立する。

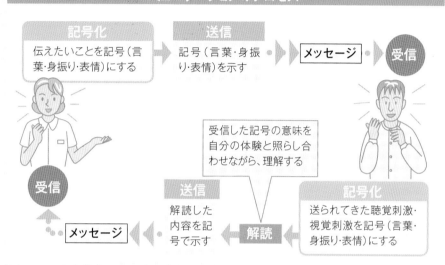

コミュニケーションのプロセス

記号化：伝えたいことを記号（言葉・身振り・表情）にする

送信：記号（言葉・身振り・表情）を示す

メッセージ

受信

受信した記号の意味を自分の体験と照らし合わせながら、理解する

受信

送信：解読した内容を記号で示す

メッセージ

解読

記号化：送られてきた聴覚刺激・視覚刺激を記号（言葉・身振り・表情）にする

STUDY 対話の効果

ひとの発する言葉には何かしらの伝えたいことや理解してもらいたいこと、相手への関心がある。コミュニケーションが円滑にとれると、高齢者もケアをする側もお互いにまた話をしようと思える。対話が促進されると相手への信頼が生まれ、よりコミュニケーションがなされ、相互の理解が深まる。高齢になり認知機能が低下すると、内容が重複することや冗長することがあるが、相互の理解が深まると、相手が何を求めているか、何を言いたいのか、言語化できなくても読み解くことができるようになる。

対話を促進する技術

メッセージを伝えるのは言葉のみならず、語調などによる準言語や、表情、目線、姿勢・動作などの非言語も含まれる。対話の促進に役立つ技術を紹介する。

相づち	沈黙	繰り返しとミラーリング	明確化と要約
相手の話を聞くとき、無反応で聞くのではなく、うなずいたり、相づちを打ったりすることで、聴こうとする態度が相手に伝わり、対話が促進される。	共感的な姿勢や態度での沈黙は、相手が考えて次の言葉を紡ぐ時間を作る事に役立つ。さらに、耳を傾けて話を聞いてくれているという信頼関係の構築につながり、対話が促進される。	相手が語った言葉を繰り返すことや、しぐさを模倣するように対話することで、相手は自らの言葉が共有されていることに安心し、親密感を感じて話ができる。また、語った自身の言葉を繰り返されて聞くことで、考えを整理することにも役立つ。	相手が言葉に詰まっているときは待つことも大事であるが、話の要点をまとめて「〜ということですか」と聞き返すことで、話が整理され対話が促進されることが期待できる。

加齢による聴覚機能の低下

高齢者は加齢により老人性難聴や、言葉の聞き取り能力が低下するなど、聴覚機能が低下する。
高齢者とコミュニケーションを図るには、こうした身体変化を理解し、適切な方法をとることが求められる。

音に対する感度の低下

老人性難聴により高音域の聴取が困難

加齢による聴覚機能変化の代表的な疾患が、老人性難聴である。老人性難聴は「感音性難聴」であり、高音域の聴取が困難となるのが特徴である。
落ち着いた低めの声で、ゆっくり話す必要がある。

感音性難聴は、神経性難聴

感音性難聴は、内耳から聴神経における神経性難聴であり、内耳で音が適切に処理されなかったり、音の電気信号を脳へ伝える神経が適切に働かないため、音の内容がはっきりしない。「聞こえない」という音量の問題に加え、「聞き取れない」という音質の問題が加わる。
そのため、音量は普通に聞こえているにもかかわらず、言葉の内容がわからないという症状もある。

言葉の聞き取り能力の低下

会話の速度に、情報処理が追いつかない

大脳機能の老化により、情報処理能力が低下。会話の速度と理解力との間にずれが生じる。
そのため、単語のような短い言葉は聞き取れるが、文章になると聞き取りにくくなる。雑音があると、より聞き取りにくい。

CASE 1 難聴があり、会話がスムーズに進まない

難聴がある高齢者は、聞き取れた言葉で会話全体の内容を推測しなければならないため、会話自体が集中力・努力を要するものとなる。

COMMUNICATION 聴覚機能が低下した高齢者とのコミュニケーション

静かな場所で、聞こえやすいほうの耳に話しかける、目線を合わせるなど、高齢者に応じたコミュニケーションを工夫する。

コミュニケーションの
ポイント

対話をするための環境に配慮

難聴がある高齢者は、周囲の騒音や、気になるものが見えたりすることで、集中力が分散し、いっそう言葉が聞き取りにくくなる。
必要であれば、静かな場所に移動して話をする。

聞こえやすい耳を確認

どちらの耳からが聞こえやすいかを確認し、その方向から話しかけるように留意する。
難聴が強い場合などは、耳元に手をかざして話すと聞こえやすい。

会話の途中で聞き取りを確認

一方的に話を進めず、会話の途中で高齢者が話の内容を聞き取れているかどうかを確認する。
十分聞き取れていないようであれば、声の大きさ、話し方、言葉や言い回しを工夫する。

わからない点はありますか？

目線の高さを同じに

高齢者が、話し手の表情や口唇の動きをみることができると、会話の内容を理解する助けとなる。できるだけ向き合い、目線を同じ高さにして話す。

POINT

■ 看護師も腰かけ、目線の高さを同じにして、コミュニケーションをとる。

目線の高さを同じに

COMMUNICATION 聴覚機能が低下した高齢者とのコミュニケーション

声の大きさ、高さ、話す速度を工夫し、場合によっては集音器、筆談、骨伝導音声増幅器を用いる。

コミュニケーションのポイント

その人に合った声の大きさで

どの程度の声の大きさであれば聞こえるのかを確認し、その人に合った声の大きさ、速度にする。難聴だからといって、大きな声を出せばいいというものではなく、その人に合わせることが必要である。

はっきり、ゆっくりと声の高さを低く

聞き取り能力が低下している場合は、声だけを大きくしても聞き取ることができない。一語一語をはっきりと発音し、ゆっくりと話すよう心がける。高齢者は高音域が聞き取りにくいため、声の高さを低くして話すよう心がける。また、大きな声は「怒っている」ようにも聞こえるため、表情などに配慮する。

場合によっては筆談も有効

難聴が強い場合、話の内容が複雑で伝わりにくい場合は、ホワイトボードを使用して筆談を行う。その際、視力障害がないことを確認し、漢字・平仮名・カタカナの使用について確認する。

紙筒や集音器、骨伝導音声増幅器を利用してスムーズに

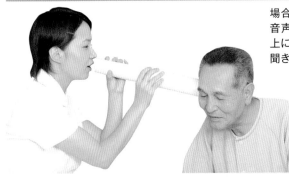

場合によっては紙を丸めた筒、集音器、骨伝導音声増幅器を用いるとよい。話し手も必要以上に大声を出す必要がなく、高齢者にとっても聞きやすい。互いに親近感も感じられる。

POINT
補聴器の利用と耳垢の除去

■ 補聴器がない場合や、持っていても合っていない場合は、耳鼻科を受診し、高齢者個々の聴覚機能に応じた補聴器をつくることで聴覚機能の向上が期待できる。

■ 耳垢がある場合は除去する。その際は耳内を傷つけないように綿棒で優しく掃除する等、注意しながら行う。

■ 高齢者は、耳垢塞栓によって聴覚機能が低下していることもあるため、塞栓している場合は耳鼻科を受診し、取り除くことで聴覚機能を高めることができる。

加齢による視覚機能の低下

高齢者には老視や視野の感度の低下、光に対する適応力低下、色覚変化など、加齢による視覚機能の低下がある。
こうした身体機能の変化を理解して、よりスムーズなコミュニケーションを図る。

視力の低下

老視や動体視力の低下が現れる

加齢とともに水晶体の弾性が弱まり、毛様体筋の萎縮により調節力が低下。近くの対象物がぼやけ、文字が小さくみえるようになる。これが老視、いわゆる老眼である。

また、静止視力と動体視力を比べると、動体視力のほうが加齢による影響を受けやすい。みる機能に加え、反応時間の延長、運動速度の低下が1つの要因と考えられる。

視野の感度の低下

周囲がみえにくくなる

加齢に伴い、視野の狭小化や周辺部の感度の低下が生じる。
車を運転する場合など、危険回避が遅れ、事故につながる危険性が高くなる。

正常 　　　　　感度の低下

光の変化への
適応力低下

明暗順応の時間が延長

加齢とともに光の変化への適応力が低下し、明るい場所から暗い場所に移動した際、順応する時間が延長する。また、70歳代の高齢者が文字の判読をするためには、30歳代の人の3倍の明るさが必要であるといわれる。

色覚変化と
コントラスト
感度低下

色の区別がつきにくくなる

色は網膜中心窩にある3つの錐体色素（赤・緑・青）で感受される。加齢に伴い、青錐体細胞の感度が低下し、「緑色が青っぽく」「黄色が白っぽく」みえる。また、紺色が暗くみえ、黒や緑との区別がつきにくくなる。
さらに、縮瞳と水晶体の影響により、コントラスト感度が低下し、淡い色がみえにくくなる。

正常

コントラスト感度低下

CASE **2** ものがみえにくく、ぼんやりと過ごしている

視覚機能が低下した高齢者は、人の顔や周囲の状況がはっきりみえず、ぼんやりと過ごしがちである。

COMMUNICATION 視覚機能低下のある高齢者とのコミュニケーション

人は情報の約8割を視覚から得ているといわれる。視覚機能の低下は
高齢者の生活・心理状態に大きな影響を与えることを理解する必要がある。

コミュニケーションの
ポイント

まず、話し手が名乗る

会話の前に、まず話し手が自分がだれであるかを伝える。視覚機能が低下した高齢者は、相手の顔がよくみえず、だれであるかを認識できない場合がある。

眼鏡使用の有無を確認

普段、眼鏡を使用しているかどうかを確認し、使用している場合はかけてもらう。また、眼鏡の度数が合っていない場合は新調を勧める。

照明を適切に

会話をする場所の照明を、適切な明るさに調整する。暗すぎるとものがみえにくく、照明の方向によりまぶしい場合も、ものがみえにくい。影を作るようなものは取り除く。

パンフレットは色の組み合わせと大きさに留意

パンフレットをみせる場合は、色の組み合わせに留意する。色の区別がつきにくい組み合わせ、淡い色調は避け、コントラストがはっきりした色の組み合わせを用いる。文字は見やすいサイズに拡大し、太さにも留意する。

視覚障害の原因疾患を確認し、対応

白内障など、視覚障害の原因になっている疾患が隠れていることがあるため、見えにくいと感じている場合は眼科受診を勧める。

P O I N T

声をかけながらタッチング

■ タッチングは相手の視野に入り、声かけとともに行う。
■ 突然のタッチングは相手を驚かせる。

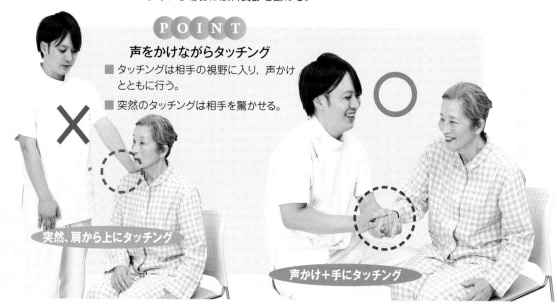

突然、肩から上にタッチング

声かけ＋手にタッチング

加齢による精神機能の低下

精神機能には感覚・知覚・情動・記憶・学習・思考などが含まれる。
本項では、知能・記憶についての加齢変化を取り上げる。

流動性知能の低下

新しいことを学習する能力が低下

1980年代以前には、知能は青年期・成人前期にピークを迎え、それ以降はしだいに低下すると考えられていた。現在では、健康であれば、老年期に入っても知能は維持され、低下しても緩やかであることが明らかになっている。

知能は、流動性知能と結晶性知能に分類される。新しいことを学習する能力である流動性知能は30歳代でピークに達し、60歳ごろまで維持された後、大きく低下する。
一方、過去に習得した知識・経験をもとに問題に対処する能力である結晶性知能は、20歳代から60歳ごろまで上昇した後、緩やかに低下する。

流動性知能
●新しい状況に適応するため、新しいことを学習して身につけていく能力

結晶性知能
●判断力・理解力といった、過去に習得した知識や経験をもとに問題に対処する能力

記憶力の低下

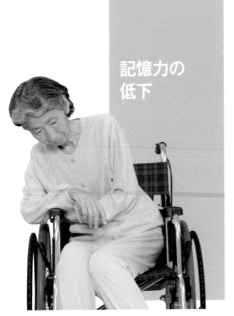

長期記憶への貯蔵、想起に手間取る

記憶には、記銘・保持・想起という3つの機能がある。外界からの情報は感覚記憶を経て短期記憶に一時的に保持され、一部が長期記憶となり、必要時想起される。

加齢に伴う記憶力の変化は感覚記憶・短期記憶・長期記憶・想起のそれぞれに現れる。記憶はコード化・貯蔵・検索（取り出し）の3つが行われないと想起することができない。高齢者は手がかりなしに想起する能力が、明らかに低下する。選択肢から選ぶ場合は、低下が小さい。さらに、短期記憶を長期記憶にする作業に手間取るようになる。
年を取ると新しいことが覚えられず、知っていることが出てこない「ど忘れ」が起こるのはこのためである。

STUDY　記憶の仕組み

記憶は、次のような仕組みで成り立つと考えられている。

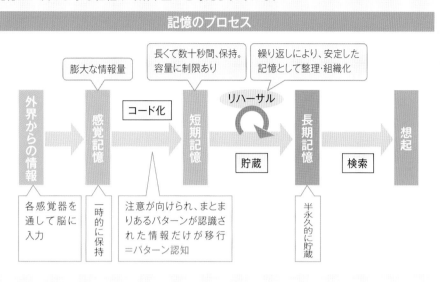

COMMUNICATION　加齢による精神・認知機能の特徴をふまえたコミュニケーション

高齢者の精神・認知機能の特徴である、新しいことを学習する能力の低下、記憶力の低下をふまえ、同時に人生の先輩としての尊敬を持ってコミュニケーションを図る。

コミュニケーションの
ポイント

繰り返し情報を提供

高齢者は新しい情報が記憶として定着しにくく、記憶の想起がスムーズに行えないため、繰り返し情報を提供することが大切である。

余裕を持って接する

高齢者は記憶力の低下により、想起に時間がかかることを理解し、余裕を持って接する。

敬意を持って、接する

加齢による精神・認知機能の変化は、自然なことである。
積み重ねた豊富な知識、人生経験から培われた知恵を持つ人として接する。

認知症を持つ高齢者

認知症による精神・認知機能の低下は、加齢によるものと似てはいるものの異なる。
認知症を持つ高齢者の特質を理解し、コミュニケーションを図ることが必要である。

認知症による
精神・認知
機能の低下

認知症は、脳の器質的障害に基づく

認知症による精神・認知機能の低下と、加齢による
精神・認知機能の低下は異なる。
中でも記憶障害、いわゆるもの忘れを例にあげると、
加齢による生理的なもの忘れは、大脳の正常な老化
過程に伴って出現する。一方、認知症のもの忘れは、
脳の器質的障害により出現するもので、病気の症状
としてとらえることが必要である。

最も一般的に用いられている認知症の概念は、「一
度発達した知的機能が、脳の器質的障害により広汎
に、継続的に低下した状態」である。
認知症では、エピソード記憶が保てず、記憶が抜け
落ちることで、体験したことそのものを忘れてしま
うことがある。

おくすりの
時間です

	「加齢によるもの忘れ」と「認知症の記憶障害」の違い	5-2
	加齢によるもの忘れ	認知症の記憶障害
共通事項	置き忘れ、失名詞、ど忘れ、繰り返し	
記憶障害の内容	●想起、重要でない事柄、部分的 （きっかけがあると思い出せる）	●記銘、保持、想起すべて、全体の忘却 （きっかけがあっても思い出せない）
知能	●正常	●低下
見当識	●よい	●障害
日常生活	●正常	●障害
人格	●正常	●低下
自覚	●する	●しない
経過	●非進行性	●進行性
性状	●加齢	●病気

中島紀恵子, 太田喜久子, 奥野茂代, 水谷信子編著：認知症高齢者の看護. 医歯薬出版, 2007, p19より一部改変

STUDY　認知症を持つ人のコミュニケーション・プロセス

認知症は進行するにつれて、徐々にコミュニケーションに障害が生じる。
コミュニケーション・プロセスのうち、メッセージの受信が障害され、それに続く解読→
送信というプロセスが障害されるため、コミュニケーションは困難となる。

●

認知症を持つ人と援助者との間では、次のようなコミュニケーション上の問題が発生する。

1 送信されるメッセージの内容や形態がゆがみ、発する方向も拡散しやすい。

2 受信できるメッセージの許容量と範囲が縮小しているため、残された能力に適合するメッセージでなければ受信が困難となる。

3 受信した内容を解釈し理解する能力（情報処理能力）が低下している。

4 周囲の環境からもたらされる雑音の影響を受けやすい。

(文献3)

●

援助者には、認知症を持つ高齢者が発するわずかなメッセージに気づく受信力、メッセージを理解できる情報処理能力、相手に応じたメッセージを発する送信力が求められている。

ここはどこですか？

認知症を持つ人とのコミュニケーションでは、高齢者個々の持てる力を最大限発揮できるように支援が必要である。認知症であっても、相手の顔を見て感情を察することや共感する力などが残されていることも多い。また、においを感じたり、ものに触れたりすることで現状を認識できることもある。高齢者の持てる力に着目したコミュニケーションの工夫が必要である。

認知症におけるコミュニケーション・プロセスの障害

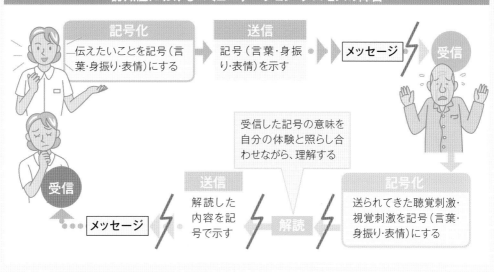

記号化 伝えたいことを記号（言葉・身振り・表情）にする

送信 記号（言葉・身振り・表情）を示す

メッセージ

受信

受信した記号の意味を自分の体験と照らし合わせながら、理解する

受信

メッセージ

送信 解読した内容を記号で示す

解読

記号化 送られてきた聴覚刺激・視覚刺激を記号（言葉・身振り・表情）にする

CASE **3** 認知症があり、会話が成り立たない

援助者には、認知症を持つ高齢者が発するわずかなメッセージに気づく
受信力、相手にわかりやすいメッセージを伝える送信力が必要である。

COMMUNICATION 認知症を持つ高齢者とのコミュニケーション

認知症を持つ高齢者に接するには、援助者に高いコミュニケーション能力
が求められる。その方に理解しやすい言葉、表現を選び、話をしていく。
加齢に伴う視覚機能・聴覚機能の低下も忘れずにアセスメントする。
認知症を持つ高齢者は、長い人生経験を持つ大人である。
その人の生活史を尊重し、接することが大切である。

コミュニケーションの ポイント

コミュニケーションの基本を大切に

さりげない視線を送ったり（アイコンタクト）、
タッチングをすることがコミュニケーションを
良好にする場合がある。
タッチングはまず相手の視線に入り、声をかけ
てからできるだけ肩より下にタッチする。
タッチングの嫌いな人がいたり、興奮状態の時
は「押さえつけられる」恐怖を感じやすいため、
注意する。

ポジティブなメッセージを伝える

ケアの際には、対象者を思いやっていることや、
気遣っていること、大事に思っていることを視
線や言葉、態度で伝える。話したことは忘れて
も、援助者から受けた「快」の感情が残り、安心
して心地よく話せることで、会話が成立しやすく
なることがある。

説明や質問を工夫

何かを選択する場合、認知症の方の能力に合わ
せ、選択方法に幅を持たせる。
オープンクエスチョン（例：何がいいですか？）、
クローズドクエスチョン（例：○○と△△とどち
らがいいですか？）を状況により使い分ける。

P O I N T
アイコンタクト＋タッチング

■ アイコンタクトは凝視せず、さりげない見守
る視線で、軽い会釈をするなど。

■ タッチングは腕なら肘から下、背中なら中央
からウエストあたりに触れる。

何がいい
ですか？

一文に一内容

認知症の方は、1つの文章に複数の内容が盛り込まれていると、混乱しやすい。簡潔に、1つ1つ話すことが必要である。さらに、理解できているか観察し、確認しながら進めていく。

POINT
1つ1つ確認しながら

自尊心に配慮

認知症を持つ高齢者は、指示されたり、覚えているかどうかを確認されるといった会話を経験することが多い。しかし、認知症があっても、高齢者は人生経験の豊富な大人である。
自尊心を傷つけないよう配慮することが大切である。

認知症の人とのコミュニケーションケース

視聴覚の衰えに注意

照明の明るさを調整し、気づいてほしい情報は大きめの標識を用いて、視線の先に設置する。
また、集中して何かを行いたいが周囲に気をとられがちな場合には、人が通らない環境を設定するなど、マイナス要因となる視覚情報を取り除く。
窓を開けると聞こえる子供の声、雨音などの自然音が認知症を持つ高齢者に時間や季節を想起してもらう手がかりとなる。
何かを聞いたり、伝えたい時には、静かな環境を設定し、その人に合った声の大きさで話す。

日常の会話を散りばめる

大人同士の会話であることを忘れない

自分の態度や姿勢を振り返る

傾聴することができない、一方的に話しかける、目を合わせていない、強い言葉やネガティブな表現など、援助者自身が気づかないうちに好ましくない対応や否定的な態度をとっている場合もある。
援助する側の態度・姿勢を振り返り、コミュニケーション能力を磨くよい機会としてとらえていく。

その人らしさを大切に

認知症を持つ高齢者の送信内容が、動作や表情からもわからない時、生活史がその人を理解するヒントとなることがある。また、その人の出身地、仕事・趣味を話題にするとコミュニケーションが良好になることがある。
ただし、人には触れてほしくない事柄もある。事前に介護者から情報を得たり、反応をみながらさりげなく会話に盛り込むなどの工夫が必要である。

CHECK! 高齢者の感情とパーソナリティ

人は年を取ると感情が鈍くなる、抑うつ的になるなど、否定的な感情を持ちやすくなるといわれてきた。
しかし、健康な高齢者は、むしろ感情的に安定していることが明らかになってきた。
高齢者のパーソナリティは、一般に「頑固」「人の話を聞かない」などの否定的イメージがあるが、このようなとらえ方に関しても再検討され、高齢者特有のパーソナリティではないことがわかってきた。パーソナリティは気質を基礎にして、環境や人々とのかかわりの影響を受けながら形成される。例えば「頑固さ」は高齢者特有のものではなく、その人が若い時から備えてきたものであり、環境や周囲の対応により表面化する。
高齢者のパーソナリティは一律ではなく、生まれ持った気質、積み重ねてきた人生経験に加え、現在の環境に影響され、多様性を持つ。

パーソナリティ

その人独自の思考や行動の傾向。個々人に特徴的な、まとまりと統一性を持った行動様式。あるいはそれを支える心の特性、人格。

CHAPTER 3

高齢者ケアの実際

退院支援

高齢者への退院支援

高齢者への退院支援

退院後、高齢者のQOLを維持・向上させるためには、
入院が決定した当初から退院後の療養生活を念頭においた医療・ケアを
実践することが重要である。
患者・家族が抱える問題やニーズを包括的にアセスメントし、
支援方法を見出して退院計画を作成する。
また、患者・家族が主体的に参加し、病院・地域関係者が連携し、
在宅療養の準備を進めていくことが必要である。
退院支援とは、退院後の療養生活、疾病や障害を持ちながらの生活を
支援し、病院から地域へと継続した医療・看護を提供することである。

退院支援を必要とする高齢者の特徴

- 疾病構造が多様化し、病状が慢性化している。
- 身体機能・認知機能などに、障害が残っている。
- 入退院を繰り返している。
- 退院後の医療依存度が高い。
- 介護者が高齢化している。
- 独居・核家族、介護者に仕事があるなど、家族の介護力が不足している。
- 年金受給のみで生活を営んでいる。
- 意思決定を家族にゆだねている。

退院支援のネットワーク

病院スタッフ
患者・家族の介護力を多方面からとらえ、適切な退院計画を作成する

依頼

在宅医療福祉相談室
病院と地域の立場・役割を双方が理解するよう橋渡しをする

患者 ⇔ 家族

地域スタッフ

高齢者への退院支援の概要

高齢者への退院支援は、外来から始まる。外来の入退院支援部門では入院が決定した時点で情報を収集し、病棟と連携していくことが重要である。

病棟では、スクリーニングにより退院支援を必要とする患者および必要とする支援内容を抽出し、自宅退院か、転院・施設入所かを検討する。退院支援計画書を作成し、退院前合同カンファレンスを行って、患者と家族、院内多職種・地域関係者が連携して在宅への移行を進めていく。

病棟における退院支援の流れ

入院
↓
情報収集、患者・家族の意向確認
↓
総合機能評価
↓
医師・看護師による退院困難要因の検討
↓
要退院支援患者の抽出
↓
退院支援計画書
病棟にて太枠の部分を記載する（総合機能スクリーニングの内容に合わせてアセスメントして記入）

自宅退院
- 病棟内調整の場合 → 病棟医師・看護師 退院支援計画書を完成 → 病棟医師・看護師 関係部門との調整 → 合同カンファレンス開催 退院前合同カンファレンス記録 → 退院
- 退院支援看護師が介入する場合 → 患者・家族の意向確認 → 退院支援看護師 退院支援計画書の完成・介入 → 退院支援看護師 地域関係者など、関係部門との調整 → 合同カンファレンス開催

転院・施設入所
- MSWが介入する場合 → 患者・家族の意向確認 → MSW 退院支援計画書の完成・介入 → MSW 関係部門との調整 → 病院・施設の決定 → 退院

総合機能スクリーニングシート
- 入院時から退院後の生活に影響する身体機能などを総合的に評価し、診療・看護・退院支援に活用する。

退院支援多職種カンファレンス
- 総合機能スクリーニングシートで退院困難の可能性があると評価したら、主治医・看護師間で検討を行う。
- コミュニケーションが重要！
- 医師・MSW・病棟看護師・退院支援看護師など多職種が集まり、患者・家族の意向、今後の治療、社会的要因などそれぞれの職種に応じて情報共有・情報交換をし、退院に向けて退院困難要因の解決手段や、地域からの情報を集めて検討を行う。

退院支援計画書
- 患者・家族に対する退院に向けた支援計画書。
- 必要事項を記入し、患者または家族に説明して渡す。

退院前合同カンファレンス記録
- 話し合いの内容などをまとめ、患者・家族に確認しながら説明する。
- 病棟看護師・退院支援看護師・MSWなどが作成する。

CHAPTER 3 高齢者への退院支援

東京都健康長寿医療センター

退院支援の流れと看護師の役割

看護師が退院支援を行う意義、また退院支援の中で看護師が果たす役割は、
患者の疾病・身体状況をふまえたうえで、退院後の療養生活に必要なサービスや
資源の利用を早期から検討・計画し、有効に活用することにある。

看護師として退院支援に必要なこと

情報収集力	●退院に伴う諸問題やニーズを多方面からとらえるために、さまざまな情報を収集する。 ●情報収集の視点を患者の生活におく。 ●必要な情報を収集できるデータベースやスクリーニングシートがあるとよい。
アセスメント力	●収集した情報を包括的・客観的に分析する。 ●そのうえで、アセスメントの妥当性を医師などのスタッフとディスカッションする。
計画性	●実施可能でかつ具体的な計画を立案する。 ●計画内容は、患者・家族が参加できるものとする。
コミュニケーション力	●退院支援はチームで行うことが大切である。 ●患者・家族をはじめ、関係者に自分の考え、思いを伝え、同時に相手の立場・状況、思いや考えを理解する。
患者・家族のエンパワメント* 促進力	●患者や家族のセルフケア能力、潜在的能力を導き、成長を支援することで、意思決定を支援する。
評価力	●退院支援計画や支援内容を客観的に評価し、修正や変更を行っていく。
倫理観	●看護師としての倫理観を持ち、支援する。例えば、退院支援内容や行われている処置などが、患者にとって適切であるかを考え、疑問を言語化し、患者や家族も含めて検討していく。
社会情勢や動向の把握	●国の政策や患者・家族を取り巻く社会状況を把握する。
社会資源・保険の知識	●介護保険・医療保険・介護サービスなどの知識を持つ。

＊エンパワメント：個人が自分自身の力で問題や課題を解決していくことができる社会的技術・能力を獲得すること

STEP 1 スクリーニング

SCREENING　退院支援の必要性をスクリーニング

● 高齢者総合機能評価（CGA）の考え方に基づき、スクリーニングを行う。
　→スクリーニングシート活用

● 退院困難要因に該当する項目があれば、退院支援を検討。
　→退院調整に必要な情報を収集

高齢者総合機能評価（CGA）とは

高齢者総合機能評価（Comprehensive Geriatric Assessment:CGA）とは、高齢者の病態を疾患だけでなく、障害や機能低下、療養環境、社会的背景も含め、総合的に評価することである。
（Comprehensive:総合的な　Geriatric:高齢者の　Assessment:評価）

後期高齢者総合機能スクリーニングシート

総合機能スクリーニングシート

実施日　令和04年10月20日

患者氏名: てすと 患者				実施者: 前仲 世一良	
患者番号	0099002957	性別: 男	生年月日: 昭和18年10月01日	年齢: 79歳0ヶ月	
入院日: 令和05年03月30日	病棟: 7西病棟			診療科:	

【1．在宅基本情報と退院困難要因 】

疾　患	悪性腫瘍、認知症または錯綜性肺炎等の急性呼吸器感染症のいずれかである
入院経路	□緊急入院である
介護認定	□未　□申請中　□認定あり
介護度	□要支援1　□要支援2　□要介護1　□要介護2　□要介護3　□要介護4　□要介護5
ケアマネジャー	□いる　□いない
家族状況	□独居（身寄りあり）　□施設（身寄りなし）　□介護者が70歳以上　□日中介護者不在（仕事上）　□同居者の有無にかかわらず、必要な介護を十分に提供できる状況にない
経済状況	□年金　□生活保護　□その他収入あり
退院後継続する医療処置	□なし　□あり
内服薬を10種類以上服用	□なし　□あり
退院から1ヶ月以内の再入院	□なし　□あり
排泄介助	□なし　□あり
低栄養	□なし　□あり
持続する疼痛	□なし　□あり
虐待	□なし　□あり（または疑われる）

【2．患者状況 】

①意欲（観察）		
自らすすんで挨拶できる	□はい　□いいえ（Vitality Indexを要評価）	
②認知1（復唱）		
「桜・猫・電車」を復唱できる	□可　□否（MMSEを要評価）	
③IADL手段的日常生活活動（質問）		
「日用品の買い物ができますか」	□はい　□いいえ（IADLを要評価）	
④認知2（復唱）		
②で質問した3語を再復唱できる	□可　□否（MMSEを要評価）	
⑤うつ（質問）		
「外に出て新しい物事をするより家の中にいる方が好きですか」	□はい（GDS5を要評価）　□いいえ	
⑥日常生活動作		
入院前の排泄動作	□自立　□部分介助　□全介助	
B I （入院前）　【点】		
B I （入院時）　【点】		

結果		
点数	0点	□退院支援の必要あり　□退院支援の必要なし

Ver:1.00.00 2009/03/01

作成日　令和05年03月30日

総合機能評価

患者氏名: てすと 患者				作成者: 江渕 善澄	
患者番号	0099002957	性別: 男	生年月日: 昭和18年10月01日	年齢: 79歳5ヶ月	
入院日: 令和05年03月30日	病棟: 7西病棟			診療科:	

実施方法

実施方法	スクリーニングの「1．在宅基本情報と退院困難要因」「2．患者情報」の内容を確認し、主治医が評価　⇒記載　⇒患者または家族に説明

【3．総合機能評価 】

①		
－	スクリーニング「2．患者状況」①～④（意欲・認知・IAD）で「否」「いいえ」の場合、⑤（うつ）で「はい」の場合は、項目①のいずれかに該当します。	
項目	□意欲低下　□認知機能低下　□入院前と比べADLが低下し要介護状態となる可能性あり　□うつ傾向	
②【退院の希望】		
退院の希望	□自宅　□施設　□療養型病院　□回復リハビリ病院　□その他	
希望を聴取した相手	□本人　□家族	
③【退院支援】		
退院支援	□必要あり　□必要なし	

Ver:1.00 2016/06/30

退院困難要因とは

退院困難要因とは、退院支援を必要とする要因で次の項目があげられる。

● 再入院を繰り返している（退院後1か月以内の再入院）

● 高度で複雑な継続的医療が必要

● ADLが低下し、生活様式の再編が必要

● 独居

● 同居家族が高齢または日中不在（仕事など）で介護を十分に提供できない

● 制度利用が困難、または制度の対象外

● 内服薬が6種類以上ある

退院調整に必要な情報

● 患者・家族の不安やニーズ、療養生活をどこで送りたいか

● 患者の病状（慢性期・終末期・難病など）

● 介護認定の有無、要介護度

● 介護サービスの内容（社会資源の活用状況）

● 退院後、どの程度の介護が必要になるか（ADL・認知力の変化）

● 退院後、継続して行う医療・介護処置の有無と内容

POINT

■ 退院支援看護師と病棟看護師が連携して動く。

STEP **2** アセスメント

ASSESSMENT 収集した情報をアセスメント

● 必要な支援を選択し、自宅の環境調整をアセスメントする。
● 入院前の在宅サービスやケアの見直しの必要性をアセスメントする。
● 在宅医療の必要性をアセスメントする。
● 転院の必要性を検討する。

POINT

■ 退院後の生活を見据えてアセスメントし、今後の方向性と解決策を見出す。

STEP **3** 病棟内ケースカンファレンス

CONFERENCE 退院後のイメージを共有

● 医師・看護師間でケースカンファレンスを行い、退院困難要因の検討を行う。
● 日常の看護を通して、退院後に必要なケアや支援の必要性を患者や家族とともに考え、退院後のイメージを共有する。

退院後の方向性（自宅、転院、施設入所など）を決定

要退院支援患者の抽出

● **病棟単位で支援**：退院支援計画書を作成・実施
● **MSW・退院支援看護師による介入・支援**：退院支援依頼書

STEP 4　退院指導

GUIDANCE　患者・家族に可能な方法を指導

● 患者・家族の管理能力を評価し、在宅で可能な方法を考え、指導する。

● 病院で提供しているケアを在宅用にアレンジする。
例：与薬の簡素化、自宅にある物品を代用

POINT

■ 入院期間はほんの一時期であり、生活や療養は継続していくことを念頭におく。

■ 入院中の治療やケアが、患者の自立度を低下させ、入院前にできていたことを困難にする場合もあることを認識する。

STEP 5　退院支援看護師の介入

INTERVENTION　初回面談と退院支援計画書の作成・実施

● 病棟看護師からの情報・評価を参考に、専門的知識に基づいて患者・家族と面談する。

● 具体的な在宅医療・サービスの内容を提示する。

▼

患者・家族が、具体的な在宅療養をイメージできるようにする

▼

地域スタッフとの協働

退院支援看護師は、患者・家族と面談後、ケアマネジャーをはじめ、関係する地域スタッフに連絡し、下記を相談する。

● 患者・家族の在宅療養についての意向

● 患者の現在の状況：病状、入院前のADL、認知力などの変化、医療処置の有無

● 退院後、必要となるサービス

STEP 6 退院前合同カンファレンス

CONFERENCE 院内多職種・地域関係者がプランを共有

● 地域関係者・院内多職種が集まり、在宅への移行に必要な情報を共有、ケアプランを検討し、共有する。

● 合同カンファレンスは、地域と病院との役割分担を明確にし、在宅への移行をスムーズに行う退院支援の1つの方法として有効である。

POINT

■ 地域関係者、院内多職種が協働する。

■ 管理栄養士や薬剤師などが必要に応じて加わる。

カンファレンスの内容

● 患者の病状、必要な継続治療
● 患者の日常生活状況：ADL・排泄・食事摂取状況など
● 現在行っているケアの内容、必要な継続ケア
● 退院指導の内容と評価
● 在宅でのケアプランの確認・検討
● 患者・家族の希望、不安について

地域との連携

地域連携とは、各医療機関や介護事業所が各々の専門性・特殊性を生かし、機能・役割を分担し、連携して適切な医療・介護を効率よく提供するシステムである。
地域連携により、患者・家族はより安全で満足のいく療養生活を送ることができる。
病院は紹介率の向上、再入院の減少、在院日数の短縮につながり、地域医療資源の有効活用となる。

継続フォロー

退院

● 退院時同行訪問：一番不安な退院時に退院支援看護師が付き添い、自宅に訪問。患者・家族が安心安全に自宅で過ごせるように、フォローをする。自宅の環境に応じた生活指導、環境調整、退院指導の復習などを実施する。地域の往診医・訪問看護師・ケアマネジャーなど、関係者と直接自宅の環境下において情報共有・情報交換を行い、スムーズに生活が始められるように支援する。

● 患者・家族に電話をしたり、外来受診時に自宅での様子を聞く。

● 地域スタッフからの相談を受ける。

● 在宅でのフレイル予防などをアドバイスし、現状での生活機能を維持または向上できるように助言する。

POINT

■ 病院スタッフ・地域スタッフが顔を合わせ情報を共有し、双方を知り、理解し合うことで地域連携が強化される。

巻末資料

■簡易フレイル・インデックス

5つの項目のみで構成されており、特別な測定具を用いずに短時間での評価が可能なことから地域や外来で用いるツールとして有用である。

項目	評価内容	回答
体重減少	6か月の期間で2〜3kgの体重減少がありましたか?	1.はい　0.いいえ
歩行速度	以前に比べて歩く速度が遅くなってきたと思いますか?	1.はい　0.いいえ
運動	ウォーキング等の運動を週に1回以上していますか?	0.はい　1.いいえ
記憶	5分前のことを思い出せますか?	0.はい　1.いいえ
疲労感	(ここ2週間)わけもなく疲れたような感じがしますか?	1.はい　0.いいえ

評価｜3点以上：フレイル
　　　1〜2点：プレフレイル
　　　0点：健常

Yamada M.Arai H : Predictive value of frailty scores for healthy life expectancy in community-dwelling older Japanese adults. J Am Med Dir Assoc. 16: 1002.e7-11, 2015.
国立長寿医療研究センター：介護予防ガイド, p.25 をもとに作成

■かんたんフレイルチェックシート

自記式のスクリーニング方法。Fatigue、Resistance、Aerobic、Inactivity、Loss of weightの5項目で構成され、それぞれの頭文字をとってFRAILとしている。

項目	内容	回答
Fatigue (疲労感)	気分が沈み込んで、何が起こっても気が晴れないように感じましたか	どちらか1つに当てはまる場合も「はい」に○
	何をするのも骨折りだと感じましたか	1.はい　0.いいえ
Resistance (筋力)	階段を手すりや壁をつたわらずに昇っていますか	0.はい　1.いいえ
Aerobic (有酸素能力)	1kmぐらいの距離を続けて歩くことができますか	0.はい　1.いいえ
Inactivity (活動量低下)	1日のうち、座っている又は横になっている時間は起きている時間の80%以上ですか	1.はい　0.いいえ
Loss of weight (体重減少)	6か月間で2〜3kg以上の体重減少がありましたか	1.はい　0.いいえ

評価｜3点以上：フレイル
　　　1〜2点：プレフレイル
　　　0点：健常

Chen, S., et al.: Development of Fried Frailty Phenotype Questionnaire for use screening community-dwelling older adults. J. Am. Med. Direct. Assoc. 21: 272-276, 2020.

■CLINICAL FRAILTY SCALE - JAPANESE 臨床虚弱尺度

高齢者の健康情報をもとに、医療者が臨床判断で9段階のカテゴリーに分類する尺度である。高齢者の動きを観察し、習慣的な身体活動や能力について質問し、入浴・着替え・家事・階上への移動・一人での外出・買い物・金銭管理・服薬・食事の準備などを自立して行うことができるかをもとに評価する。

※身体機能をもとに判断するものであり、日本老年医学会が提唱した「フレイル」とは意味が異なるため、「虚弱」と表現される。

1 非常に健常である
頑健、活動的、精力的、意欲的な人々である。これらの人々は通常、定期的に運動を行っている。同年代の中では、最も健常である。

2 健常
活動性の疾患の症状はないものの、カテゴリー1ほど健常ではない。季節等によっては運動をしたり非常に活発だったりする。

3 健康管理されている
時に症状を訴えることがあっても、医学的な問題はよく管理されている。日常生活での歩行以上の運動を普段は行わない。

4 ごく軽度の虚弱
自立からの移行の初期段階である。日常生活で介護は必要ないが、症状により活動性が制限される。よく「動作が鈍くなった」とか、日中から疲れていると訴える。

5 軽度の虚弱
これらの人々は、動作が明らかに鈍くなり、高度な IADL（手段的日常生活動）（金銭管理、交通機関の利用、重い家事）では介助が必要となる。軽度の虚弱のために、買い物や1人で外出すること、食事の準備、服薬管理が徐々に障害され、軽い家事もできなくなり始めるのが特徴である。

6 中等度の虚弱
屋外でのすべての活動や家事では介護が必要である。屋内でも階段で問題が生じ、入浴では介護が必要である。着替えにもわずかな介助（声掛け、見守り）が必要となることがある。

7 重度の虚弱
どのような原因であれ（身体的あるいは知的な）、身の回りのケアについて完全に要介護状態である。そのような状態であっても、状態は安定しており（6カ月以内で）死亡するリスクは高くない。

8 非常に重度の虚弱
完全に要介護状態であり、人生の最終段階が近づいている。典型的には、軽度な疾患からでさえ回復できない可能性がある。

9 人生の最終段階
死期が近づいている。高度の虚弱に見えなくても、余命が6カ月未満であればこのカテゴリーに入る（人生の最終段階にあっても多くの人は死の間際まで運動ができる）。

認知症のある人々の虚弱のスコア化

虚弱の程度は、認知症の程度に対応する。直近の出来事そのものは記憶しているが、出来事の詳細を忘れていること、同じ質問、同じ話を繰り返すこと、社会から引きこもることが 軽度の認知症の一般的な症状である。中等度の認知症では、過去の生活上の出来事をよく記憶しているようにみえるにもかかわらず、短期記憶は非常に低下している。

促せば、自分のことはできる。高度の認知症では、援助なしで自分のことができない。非常に高度の認知症では、しばしば寝たきりとなる。多くがほとんど発語もなくなる。

Rockwood K et al. A global clinical measure of fitness and frailty in elderly people. CMAJ 2005:173;489-495.

日本老年医学会：CLINICAL FRAILTY SCALE-JAPANESE 臨床虚弱尺度. より
https://www.jpn-geriat-soc.or.jp/tool/pdf/tool_14.pdf

DALHOUSIE UNIVERSITY

索　引

索　引

参考文献

CHAPTER 1 高齢者ケアにおけるフレイル予防の重要性

1) 内閣府：令和5年版高齢社会白書（全体版）. 第一章第二節高齢期の暮らしの動向2健康・福祉, 2023 .
 https://www8.cao.go.jp/kourei/whitepaper/w-2023/zenbun/pdf/1s2s_02-1.pdf
 （2024年1月閲覧）

2) 荒井秀典（編集主幹）：フレイル診療ガイド2018年版. 日本老年医学会／国立長寿医療研究センター, 2018 .

3) Stephen H -F Macdonald, J ohn Travers, Éidín Ní Shé et al.: Primary care interventions to address physical frailty among community-dwelling adults aged 60 years or older: A meta-analysis. PLoS One. 15 (2): e0228821, 2020.

4) Daiki Watanabe, Tsukasa Yoshida, Yuya Watanabe, Yosuke Yamada, Misaka Kimura, Kyoto-Kameoka Study Group: Objectively Measured Daily Step Counts and Prevalence of Frailty in 3,616 Older Adults. Journal of the American Geriatrics Society. 68 (10): 2310-2318, 2020.

5) Coelho-Junior HJ, Bruno Rodrigues, Marco Uchida, Emanuele Marzetti: Low Protein Intake Is Associated with Frailty in Older Adults: A Systematic Review and Meta-Analysis of Observational Studies. Nutrients. 10 (9): 1334, 2018.

6) Coelho-Junior HJ, Luiz Milano-Teixeira, Bruno Rodrigues et al: Relative Protein Intake and Physical Function in Older Adults: A Systematic Review and Meta-Analysis of Observational Studies. Nutrients. 10 (9): 1330, 2018.

7) Rashidi Pour Fard N, Amirabdollahian F, Haghighatdoost F: Dietary patterns and frailty: a systematic review and meta-analysis. Nutr Rev. 77 (7): 498-513, 2019.

8) 平成27年度 老人保健健康増進事業等補助金老人保健健康増進等事業：口腔機能・栄養・運動・社会参加を総合化した複型型健康増進プログラムを用いての新たな健康づくり市民サポーター養成研修マニュアルの考案と検証（地域サロンを活用したモデル構築）を目的とした研究事業 実施報告書. 平成28年3月.
 https://www.mhlw.go.jp/file/06-Seisakujouhou-12300000-Roukenkyoku
 /0000136676.pdf（2024年1月閲覧）

9) Tanaka T, Takahashi K, Hirano H et al.: Oral Frailty as a Risk Factor for Physical Frailty and Mortality in Community-Dwelling Elderly. J Gerontol A Biol Sci Med Sci. 73 (12): 1661-1667, 2018.

10) 飯島勝矢：高齢者と社会（オーラルフレイルを含む）. 日本内科学会雑誌. 107 (12): 2469-2477, 2018 .

11) Omae K, Yamamoto Y, Kurita N et al.: Gait speed and overactive bladder in the healthy community-dwelling super elderly: The Sukagawa Study. Neurourol Urodyn. 38 (8): 2324-2332, 2019.

12) Lim J, Park H, Lee H et al.: Higher frailty burden in older adults with chronic constipation. BMC Gastroentetol. 21 (1): 137, 2021.

13) Tan BKJ, Man REK, Gan ATL et al.: Is Sensory Loss an Understudied Risk Factor for Frailty? A Systematic Review and Meta-analysis. J Gerontol A Biol Sci Med Sci. 75 (12): 2461-2470, 2020.

14) 日本老年医学会：フレイルサポート医のための疾患治療マニュアル. 文光堂, p.121, 2022.

15) 東京都福祉局ホームページ：やってみよう！社会参加チェック！
 https://www.fukushi.metro.tokyo.lg.jp/kaigo_frailty_yobo/yobou/point_
 shakai/01.html（2024年1月閲覧）

16) Kaiser MJ, et al: Validation of the Mini Nutritional Assessment short-form (MNA-SF): a practical tool for identification of nutritional status. J Nutr Health Aging. 13(9): 782-788, 2009.

17) Malnutrition Action Group (MAG) (a standing committee of the British Association for Parenteral and Enteral Nutrition): The" MUST" explanatory booklet.

http://www.bapen.org.uk/pdfs/must/must_explan.pdf(2024年1月閲覧)

18) Kondrup J, et al: Nutritional risk screening (NRS 2002): a new method based on an analysis of controlled clinical trials. Clin Nutr. 22(3): 321-336, 2003.

19) Guigoz Y: The Mini Nutritional Assessment (MNA) review of the literature--What does it tell us? J Nutr Health Aging. 10(6): 466-485; discussion 485-487, 2006.

20) Detsky AS, et al: What is subjective global assessment of nutritional status? JPEN J Parenter Enteral Nutr. 11: 8-13, 1987.

21) Ottery FD: Definition of standardized nutritional assessment and interventional pathways in oncology. Nutrition. 12: S15-S19, 1996.

22) Cederholm T, et al: GLIM criteria for the diagnosis of malnutrition - A consensus report from the global clinical nutrition community. Clin Nutr. 38(1): 1-9, 2019.

23) 厚生労働科学研究費補助金長寿科学総合研究事業: 虚弱・サルコペニアモデルを踏まえた高齢者食生活支援の枠組みと包括的介護予防プログラムの考案および検証を目的とした調査研究. 平成26年度 総括・分担研究報告書, 2015.

CHAPTER 2 高齢者ケアの基本

1) 東京都健康長寿医療センター研究所健康長寿新ガイドライン策定委員会: 健康長寿新ガイドラインエビデンスブック. 社会保険出版社, 2021.

2) 井藤英喜: 高齢者に対する総合機能評価の有用性と限界. 日本老年医学会雑誌. 43 (6): 690-692, 2006.

3) 古田愛子: 新訂版 写真でわかる高齢者ケア アドバンス. インターメディカ, p.18, 2020.

4) 山本由布, 前野哲博: 具体的な地域医療活動 地域医療と高齢者診療(各論) 高齢者総合的機能評価(CGA). 日本内科学会雑誌. 108 (6): 1181-1186, 2009.

5) 鳥羽研二企画編集: 今日から役立つフレイルの知識とケアのポイント. WOC Nursing. 9 (7), 2021.

6) 飯島勝矢: 健康長寿 鍵は"フレイル(虚弱)"予防. クリエイツかもがわ, 2018.

7) 山田実: イチからわかる! フレイル・介護予防Q＆A. 医歯薬出版, 2021.

8) 長江弘子: 看護実践にいかすエンド・オブ・ライフケア 第2版. 日本看護協会出版会, 2018.

9) 西川満則, 長江弘子, 横江由理子: 本人の意思を尊重する意思決定支援 事例で学ぶアドバンス・ケア・プランニング. 南山堂, 2018.

10) 後閑容子, 金原京子: 図でわかる エビデンスに基づく高齢者の看護ケア 第2版. 中央法規, 2019

11) 厚生労働省: 人生の最終段階における医療・ケアの決定プロセスに関するガイドライン. 平成30年3月.

https://www.mhlw.go.jp/file/04-Houdouhappyou-10802000-Iseikyoku-Shidouka/0000197701.pdf(2024年1月閲覧)

12) 厚生労働省: 第199回社会保障審議会介護給付費資料. 令和3年1月.

https://www.mhlw.go.jp/content/12300000/000727135.pdf(2024年1月閲覧)

13) 日本看護協会ホームページ: 人生の最終段階における医療と倫理

https://www.nurse.or.jp/nursing/rinri/text/basic/problem/jinsei.html(2024年1月閲覧)

14) 東京都在宅療養推進会議 会長 新田 國夫, ACP推進事業企画検討部会監修, 東京都福祉保健局医療政策部医療政策課編集: わたしの思い手帳. 2021.

https://www.hokeniryo.metro.tokyo.lg.jp/iryo/iryo_hoken/zaitakuryouyou/

参考文献

acp_booklet.files/acp_booklet.pdf(2024年1月閲覧)

CHAPTER 3 高齢者ケアの実際

【食事・栄養のケア】

1) Logmann JA. 道健一, 道脇幸博監訳：Logmann 摂食・嚥下障害. 医歯薬出版, 2007.
2) 鎌倉やよい編：嚥下障害ナーシング. 医学書院, 2007.
3) 藤島一郎：口から食べる嚥下障害Q&A. 中央法規出版, 2004.
4) 向井美惠, 鎌倉やよい編：摂食・嚥下障害の理解とケア. 学研メディカル秀潤社, 2003.
5) 藤島一郎：脳卒中の摂食・嚥下障害 第2版. 医歯薬出版, 2008.
6) 中島紀恵子, 他編：認知症高齢者の看護. 医歯薬出版, 2007.
7) 山田律子, 他編：生活機能からみた老年看護過程＋病態・生活機能関連図. 医学書院, 2008.
8) 山内豊明編：フィジカルアセスメントのコツと落とし穴 Part2. 中山書店, 2005.
9) 西口幸雄, 矢吹浩子編：エキスパートナースガイド 胃ろう (PEG) ケアと栄養剤投与法. 照林社, 2009.
10) 大熊利忠：経腸栄養剤と細菌汚染. Nutrition Support Journal 1 (1) : 9, 2000.
11) Oie S, Kamiya A : Comparison of microbial contamination of enteral feeding solution between repeated use of administration sets after washing with water and after washing followed by disinfection.J Hosp Infect 48 (4) : 304-307, 2001.
12) 日本静脈経腸栄養学会編：静脈経腸栄養ガイドライン 第3版. 照林社, 2013.
13) 才藤栄一, 植田耕一郎：摂食嚥下リハビリテーション第3版. 医歯薬出版, 2016 .
14) 日本摂食嚥下リハビリテーション学会 嚥下調整食委員会：日本摂食嚥下リハビリテーション学会 嚥下調整食分類2021 . 日本摂食嚥下リハビリテーション学会誌. 25(2) : 135-149, 2021 .

【排泄のケア】

1) 田中秀子, 溝上祐子監修：失禁ケアガイダンス. 日本看護協会出版会, 2007.
2) 穴澤貞夫, 他編：排泄リハビリテーション—理論と臨床. 中山書店, 2009.
3) 泌尿器科領域の治療標準化に関する研究班編：EBMに基づく尿失禁診療ガイドライン. http://minds.jcqhc.or.jp/stc/0015/1/0015_G0000039_GL.html (2009年12月閲覧)
4) 田中とも江監修：おむつを減らす看護・介護. 医学芸術社, 2003.
5) 稲葉佳江編：成人・高齢者看護のためのヘルスアセスメント. メヂカルフレンド社, 2004.
6) 田中純子：カテーテル留置時から始める排尿の自立支援. 看護技術48 (2) : 73, 2002.
7) 田中純子：尿道留置カテーテル挿入に伴う感染予防のエビデンス. BRAIN NURSING 20 (11) : 29-34, 2004.
8) 田中純子：尿道カテーテル管理の指導. 月刊ナーシング 26 (10) : 86-91, 2006.
9) 小林陽子：笑顔あふれる さわやか外来. 看護学生 56 (10) : 34-36, 2008.
10) 髙崎絹子, 他編：最新老年看護学. 日本看護協会出版会, 2005.
11) 石井賢俊, 西村かおる：らくらく排泄ケア. メディカ出版, 2008.
12) 後藤百万, 他編：徹底ガイド 排尿ケアQ&A 全科に必要な知識のすべて!. 総合医学社, 2006.
13) 沼口史衣, 洪愛子編：尿道カテーテル関連感染とその管理. Nursing Mook9 感染管理ナーシング. 学習研究社,129-134, 2002.
14) Warren JW : Catheter-associated urinary tract infections. Infect Clin North Am 11 (3) : 609-622,1997.
15) Maki DG, Tambyah PA : Engineering out the risk for infection with urinary catheters. Emerg Infect Dis 7 (2) : 342-347, 2001.
16) Wong ES, Hooton TM : Guideline for prevention of catheter-associated urinary tract infections. Am J Infect Control 11 (1) : 28-33, 1983.

17) 白岩康夫, 山口脩監修：目で見る排尿障害―排出障害から蓄尿障害まで―. メディカルレビュー社, 1995.

【清潔のケア】

1) 大熊利忠：経腸栄養剤と細菌汚染. Nutrition Support Journal 1 (1)：9, 2000.
2) 南由起子監修：ストーマケア Nursing Note―ストーマケア看護手帳. メディカ出版, 2006.
3) 日本ストーマリハビリテーション学会編：ストーマリハビリテーション学用語集 第2版. 金原出版, 2003.
4) 日本ET/WOC協会編：ストーマケア エキスパートの実践と技術. 照林社, 2007.
5) 大村裕子編：カラー写真で見てわかるストーマケア―基本手技・装具選択・合併症ケアをマスター. メディカ出版, 2006.
6) ストーマリハビリテーション講習会実行委員会編：ストーマリハビリテーション 実践と理論. 金原出版, 2006.
7) 髙崎絹子, 他編：最新老年看護学. 日本看護協会出版会, 2005.
8) 小林陽子：ストーマケア. 月刊ナーシング 28 (7)：65-71, 2008.
9) 小林陽子：Ⅲ 日常生活におけるスキンケアのポイント. おはよう21 17 (14)：17-24, 2006.
10) 真田弘美, 須釜淳子：実践に基づく最新褥瘡看護技術. 照林社, 2007.
11) 真田弘美, 宮地良樹編：よくわかって役に立つ新・褥瘡のすべて. 永井書店, 2006.
12) 溝上祐子編：カラー写真とイラストで見てわかる! 創傷管理. メディカ出版, 2006.
13) 宮地良樹, 溝上祐子編：褥瘡治療・ケアトータルガイド. 照林社, 2009.
14) 日本褥瘡学会編：在宅褥瘡予防・管理ガイドブック. 照林社, 2008.
15) 日本糖尿病教育看護学会編：糖尿病に強い看護師支援テキスト. 日本看護協会出版会, 2008.
16) 渥美義仁, 土方ふじ子監修：糖尿病フットケアアセスメントガイド. 中山書店, 2008.
17) 羽倉稜子編：ナースがおこなう糖尿病フットケア. 南江堂, 2006.
18) 日本糖尿病教育看護学会編：糖尿病看護フットケア技術. 日本看護協会出版会, 2005.
19) 日本糖尿病学会編：糖尿病専門医研修ガイドブック―日本糖尿病学会専門医取得のための研修必携ガイド―. 診断と治療社, 2001.
20) 宮川晴妃編：メディカルフットケアの技術. 日本看護協会出版会, 2006.
21) 日本フットケア学会編：西田壽代監修：はじめよう! フットケア 第2版. 日本看護協会出版会, 2009.
22) 岡山裕子, 他：系統看護学講座 成人看護学12. 医学書院, 2008.
23) 日本糖尿病療養指導士認定機構：日本糖尿病療養指導士受験ガイドブック2009. メディカルレビュー社, 2009.
24) 瀬戸奈津子監修：糖尿病の患者さんによく聞かれる質問120. 日本看護協会出版会, 2009.
25) 市岡滋：実践 創傷治癒. 金芳堂, 2006.
26) 日野原重明・井村裕夫監修, 岩井郁子, 北村聖監修協力. 井藤英喜編：看護のための最新医学講座 第2版 第17巻 老人の医療. 中山書店, 2005.
27) James RC, et al.：Induction of staphylococcal infections in mice with small inocula introduced on sutures. Br J Exp Pathol 42：266-277, 1961.
28) 日本創傷・オストミー・失禁管理学会編：ベストプラクティス スキン-テア（皮膚裂傷）の予防と管理. 照林社, 2015.

【活動・休息のケア】

1) 宮地良樹, 溝上祐子編著：褥瘡治療・ケアトータルガイド. 照林社, 2009.
2) 日本看護協会認定看護師制度委員会 創傷ケア基準検討会編著：褥瘡ケアガイダンス. 日本看護協会出版会, 2005.
3) 日本褥瘡学会編：在宅褥瘡予防・管理ガイドブック. 照林社, 2008.
4) 真田弘美, 宮地良樹編：よくわかって役に立つ 新・褥瘡のすべて. 永井書店, 2006.

参考文献

5) 日本褥瘡学会編：科学的根拠に基づく褥瘡治療ガイドライン. 照林社, 2005.

6) 日本褥瘡学会編：褥瘡予防・管理ガイドライン. 照林社, 2009.

7) 田中マキ子編著：動画でわかる褥瘡予防のためのポジショニング. 中山書店, 2008.

8) 真田弘美, 須釜淳子編：実践に基づく最新褥瘡看護技術. 照林社, 2007.

9) 日野原重明・井村裕夫監修, 岩井郁子, 北村聖監修協力. 井藤英喜編：看護のための最新医学講座 第2版 第17巻 老人の医療. 中山書店, p79-83, 2005.

10) 泉キヨ子編：特集EBNで防ぐ転倒・転落. EBNursing 2 (1), 2001.

11) 川村治子：ヒヤリ・ハット11,000事例による エラーマップ完全本. 医学書院, 2003.

12) 林泰史, 寺本明企画監修：転倒転落をめぐって. 日本医師会雑誌 137 (11), 2009.

13) 平井有美, 他：高齢者医療事故の具体例 転倒転落. Geriatric Medicine 46 (2)：141-147, 2008.

14) Geriatric Medicine 47 (6), 2009.

15) 寺沢宏次監修：脳のしくみがわかる本. 成美出版, 2008.

16) 山田律子, 他編：生活機能からみた老年看護過程＋病態・生活機能関連図. 医学書院, 2008.

17) 大内尉義監修：日常生活に活かす老年病ガイドブック1 老年症候群の診かた. メジカルビュー社, p26-27, 2005.

18) 稲葉佳江編：成人・高齢者看護のためのヘルスアセスメント. メヂカルフレンド社, 2004.

19) 粟生田友子：せん妄のアセスメントはどのように行うか「重症度判定, 診断・鑑別に用いるアセスメントツール」. EBNursing (6) 4：42-50, 2006.

20) 中島紀恵子, 他編：認知症高齢者の看護. 医歯薬出版, 2007.

21) 道下聡, 石束嘉和. 鳥羽研二編：日常診療に活かす老年病ガイドブック1 老年症候群の診かた. メジカルビュー社, p26-27, 2004.

22) 厚生労働省「身体拘束ゼロ作戦推進会議」：身体拘束ゼロへの手引き～高齢者ケアに関わるすべての人に～. 平成13年3月.

23) 日本サイコオンコロジー学会, 日本がんサポーティブケア学会：がん患者におけるせん妄ケアガイドライン2022年版. 金原出版, 2022.

24) 町田いづみ, 青木孝之 他：せん妄スクリーニング・ツール (DST) の作成. 総合病院精神医学. 15(2)：150-155, 2003.

25) 厚生労働科学研究成果データベースホームページ：日本語版ニーチャム混乱／錯乱状態スケール.
https://mhlw-grants.niph.go.jp/system/files/2004/044021/200401006A/200401006A0028.pdf(2024年1月閲覧)

26) 厚生労働省：令和3年 (2021) 人口動態統計 (確定数) の概況：第7表 死因簡単分類別にみた性別死亡数・死亡率(人口10万対)
https://www.mhlw.go.jp/toukei/saikin/hw/jinkou/kakutei21/dl/11_h7.pdf(2024年1月閲覧)

【コミュニケーション】

1) 髙崎絹子, 他編：最新老年看護学. 日本看護協会出版会, 2005.

2) 日野原重明・井村裕夫監修, 岩井郁子, 北村聖監修協力. 井藤英喜編：看護のための最新医学講座 第2版 第17巻 老人の医療. 中山書店, 2005.

3) 中島紀恵子, 他編：認知症高齢者の看護. 医歯薬出版, p50, 2007.

4) 諏訪茂樹：対人援助とコミュニケーション 第2版 主体的に学び、感性を磨く. 中央法規, 2010.

【退院支援】
1) 社団法人全国訪問看護事業協会監修. 篠田道子編：ナースのための退院調整 院内チームと地域連携のシステムづくり. 日本看護協会出版会, 2007.
2) 宇都宮浩子編：病棟から始める退院支援・退院調整の実践事例. 日本看護協会出版会, 2009.
3) 大内尉義, 村嶋幸代監修：退院支援 東大病院医療社会福祉部の実践から. 杏林書院, 2003.
4) 社団法人全国訪問看護事業協会監修. 川越博美, 長江弘子編：早期退院連携ガイドラインの活用 退院する患者・家族を支援するために. 日本看護協会出版会, 2006.

新訂第2版 写真でわかる
高齢者ケア アドバンス
高齢者の心と体を理解し、フレイルを予防し生活の営みを支える

2020年 4月 10日 初版 第1刷発行
2024年 3月 20日 第2版 第1刷発行

[監　修] 古田愛子
[医学監修] 井藤英喜
[発行人] 赤土正明
[発行所] 株式会社インターメディカ
　　　　　〒 102-0072　東京都千代田区飯田橋 2-14-2
　　　　　TEL.03-3234-9559　FAX.03-3239-3066
　　　　　URL　http://www.intermedica.co.jp
[印　　刷] 図書印刷株式会社

[デザイン・DTP] 真野デザイン事務所

ISBN978-4-89996-484-1
定価はカバーに表示してあります。